Muerte entre líneas

Donna Leon
Muerte entre líneas

Traducción de Maia Figueroa Evans

Seix Barral

Título original: *By Its Cover*

© Donna Leon y Diogenes Verlag AG Zürich, 2014
   Todos los derechos reservados
© por la traducción, Maia Figueroa Evans, 2014
© Editorial Planeta, S. A., 2014, 2015
   Seix Barral, un sello editorial de Editorial Planeta, S. A.
   Avda. Diagonal, 662-664. 08034 Barcelona (España)
   www.seix-barral.es
   www.planetadelibros.com

Diseño de la colección: wladimirmarnich.com
Diseño de la cubierta: Departamento de Arte y Diseño, Área Editorial Grupo Planeta
Ilustración de la cubierta: © Scott S. Warren y © Maurizio Rellini / Corbis
Fotografía de la autora: © Regine Mosimann / Diogenes Verlag AG Zürich
Primera edición en Colección Booket: febrero de 2015

Depósito legal: B. 743-2015
ISBN: 978-84-322-2433-1
Impresión y encuadernación: CPI (Barcelona)
Printed in Spain - Impreso en España

Biografía

Donna Leon nació en Nueva Jersey el 28 de septiembre de 1942. En 1965 estudió en Perugia y Siena. Continuó en el extranjero y trabajó como guía turística de Roma, como redactora de textos publicitarios en Londres y como profesora en distintas escuelas norteamericanas en Europa y en Asia (Irán, China y Arabia Saudita). Ha publicado las novelas protagonizadas por el comisario Brunetti: *Muerte en La Fenice* (1992), que obtuvo el prestigioso Premio Suntory a la mejor novela de intriga, *Muerte en un país extraño* (1993), *Vestido para la muerte* (1994), *Muerte y juicio* (1995), *Acqua alta* (1996), *Mientras dormían* (1997), *Nobleza obliga* (1998), *El peor remedio* (1999), *Amigos en las altas esferas* (2000) —Premio CWA Macallan Silver Dagger—, *Un mar de problemas* (2001), *Malas artes* (2002), *Justicia uniforme* (2003), *Pruebas falsas* (2004), *Piedras ensangrentadas* (2005), *Veneno de cristal* (2006), *Líbranos del bien* (2007), *La chica de sus sueños* (2008), *La otra cara de la verdad* (2009), *Cuestión de fe* (2010), *Testamento mortal* (2011), *La palabra se hizo carne* (2012), *El huevo de oro* (2013), *Muerte entre líneas* (2014) y *Sangre o amor* (2015); *Las joyas del Paraíso* (2012), una novela negra ambientada en el mundo de la ópera; el libro de ensayos *Sin Brunetti* (2006) y ha escrito el prólogo de la atípica guía *Paseos por Venecia* (2008). Sus libros, publicados en treinta y cuatro países, son un fenómeno de crítica y ventas en toda Europa y Estados Unidos. Desde 1981 reside en Venecia.

Conoce las novelas de Brunetti en www.donnaleon.es

Para Judith Flanders

Por mezquino que fuese, ahora es mi hermano.

HÄNDEL,
Saúl

1

Había sido un lunes tedioso, la mayor parte del cual la había pasado leyendo las declaraciones de los testigos de una pelea entre dos taxistas que había mandado a uno de ellos al hospital con una conmoción y el brazo derecho roto. Los testigos eran una pareja de turistas estadounidenses que habían pedido al portero del hotel que les consiguiera un taxi acuático para ir al aeropuerto; el portero, que decía que había llamado a uno de los taxistas con los que el hotel trabajaba habitualmente; el botones, que afirmaba no haber hecho más que su trabajo metiendo el equipaje de los estadounidenses en el taxi que se acercó al embarcadero; y, por último, los dos taxistas, uno de los cuales ya había declarado en el hospital. Según entendía Brunetti basándose en los diferentes relatos, el patrón de la compañía de taxis que empleaban habitualmente estaba en las inmediaciones del hotel cuando recibió la llamada del portero, pero al llegar, otro taxi ya había atracado en el embarcadero. El patrón atracó a su vez, pronunció en alto el nombre que le había dado el portero y dijo que estaba allí para llevar a la pareja al aeropuerto. Pero el otro taxista insistió en que el botones lo había parado a él y que por lo tanto la carrera era suya, aunque el botones lo negaba y decía que él simplemente estaba ayudando con las maletas. De pronto, el patrón del taxi en el que ya habían cargado el equipaje se encontró sin saber cómo en la cubierta de la otra lancha, y los estadounidenses montaron en cólera por haber perdido el vuelo.

Brunetti sabía lo que había ocurrido, aunque no podía probarlo: el botones había parado un taxi que pasaba por allí para llevarse él la comisión de la carrera en lugar de que la cobrase el portero. Las consecuencias eran evidentes: nadie iba a contar la verdad y los estadounidenses se quedarían sin comprender qué había sucedido.

Mientras reflexionaba sobre esto, Brunetti dejó de pensar un momento en el deseo que tenía de tomarse un café y se detuvo a sopesar si era posible que hubiese dado con una especie de explicación cósmica de la historia contemporánea mundial. Sonrió diciéndose a sí mismo que debía acordarse de comentárselo a Paola esa misma noche o, mejor aún, la noche siguiente, cuando fuesen a cenar a casa de sus suegros. Esperaba que la anécdota le resultase divertida al *conte*, que tenía gusto por las paradojas. Estaba seguro de que a su suegra le haría gracia.

Salió de su ensoñación y continuó escaleras abajo, ansioso por tomarse ese café que lo iba a ayudar a pasar el resto de la tarde en la *questura*. Cuando se acercaba a la entrada principal, el agente de la centralita dio un par de golpecitos en el cristal del minúsculo cubículo y le hizo una señal para que se acercase. Una vez dentro, el guardia habló por el auricular del teléfono:

—Creo que debería hablar con el *commissario*, *dottoressa*. Es quien está al mando.

Y le pasó el teléfono.

—Brunetti.

—¿Es usted *commissario*?

—Sí.

—Soy la *dottoressa* Fabbiani, la bibliotecaria jefe de la biblioteca Merula. Nos han robado; creo que han sido varios volúmenes.

Hablaba con voz temblorosa, la misma con la que había oído hablar a víctimas de atracos o agresiones.

—¿Libros del fondo? —preguntó Brunetti.

Conocía la Merula porque había acudido allí una o dos veces mientras estudiaba, pero llevaba décadas sin acordarse de ella.

—Sí.

—¿Qué se han llevado? —dijo mientras hacía una lista de las preguntas que se iban a suceder tras la respuesta.

—Todavía no estamos seguros de qué falta. De momento lo único que sé es que alguien ha cortado varias páginas de algunos volúmenes.

El comisario la oyó respirar hondo.

—¿De cuántos? —preguntó Brunetti al tiempo que tomaba un lápiz y una libreta.

—No lo sé. Lo acabo de descubrir —respondió ella con cierta tensión en la voz.

Oyó a un hombre al otro lado de la línea. Supuso que ella se había girado para contestarle, ya que por unos instantes la escuchó hablar pero apenas la oía. Después se hizo el silencio.

Repasó mentalmente el procedimiento que había seguido en las bibliotecas de la ciudad para consultar libros y preguntó:

—Tienen un registro de las personas que consultan los libros, ¿verdad?

Pensó si a la *dottoressa* le sorprendería que un policía

le hiciese esa pregunta; si le extrañaba que supiese algo sobre bibliotecas. En cualquier caso, tardó cierto tiempo en responder.

—Por supuesto. —Bueno, eso ponía a Brunetti en su lugar, ¿no?—. Lo estamos comprobando.

—¿Y han averiguado quién lo hizo?

La siguiente pausa fue aún más larga que la anterior.

—Creemos que ha sido un académico que ha estado haciendo una investigación —dijo ella—. Tenía la documentación adecuada —añadió, como si Brunetti fuese a acusarla de negligencia, pero lo que él captó fue la típica respuesta de cualquier burócrata que empieza a formular su defensa al primer rumor de mala praxis.

—*Dottoressa* —empezó a decir el comisario en un tono que esperaba que reflejase todo su poder de persuasión y profesionalidad—, vamos a necesitar su ayuda para identificarlo. Cuanto antes lo encontremos, menos tiempo tendrá para vender lo que se ha llevado.

No halló motivos para ocultarle ese hecho.

—Pero los libros han quedado destruidos —dijo ella con angustia, como si hablara de la muerte de un ser querido.

Para una bibliotecaria, pensó él, dañar un libro debía de ser un acto tan horrendo como robarlo.

—Iré en cuanto pueda, *dottoressa* —dijo cambiando de tono para mostrar autoridad—. Se lo ruego, no toque nada. —Y antes de que ella pudiese protestar, añadió—: Me gustaría ver los documentos identificativos que les enseñó el académico.

Al ver que ella no contestaba, colgó.

Brunetti recordaba que la biblioteca estaba en el Zattere, pero la ubicación exacta se le escapaba. De pronto se acordó del guardia.

—Si alguien me busca, estoy en la biblioteca Merula. Llame a Vianello y dígale que vaya allí con dos hombres a recoger huellas.

Fuera encontró a Foa con los brazos y los tobillos cruzados, apoyado en la barandilla que bordeaba el canal. Tenía la cabeza echada hacia atrás y los ojos cerrados para protegerse del sol de principios de primavera; cuando se le acercó, habló con Brunetti antes de abrirlos.

—¿Adónde lo llevo, *commissario*?

—A la biblioteca Merula.

Como si quisiera terminar la frase de Brunetti, Foa continuó:

—Dorsoduro, 3429.

—¿Cómo lo sabe?

—Mi cuñado y su familia viven en el edificio de al lado; la dirección tiene que ser esa —respondió el patrón.

—Por un momento he temido que el teniente le hubiese obligado a memorizar todas las direcciones de la ciudad.

—Cualquiera que haya crecido a bordo de una lancha sabe ubicarlo todo en esta ciudad, señor. Mejor que un GPS —dijo Foa golpeándose la frente con un dedo.

Se apartó de la barandilla y se dirigió hacia la lancha, pero se detuvo en seco y se volvió hacia Brunetti:

—Por cierto, ¿sabe usted qué ha sido de ellos, señor?

—¿Qué ha sido de qué? —preguntó Brunetti confundido.

—De los GPS.

—¿Qué GPS?

—Los que se pidieron para las lanchas —respondió Foa, y Brunetti se quedó allí parado, esperando una explicación.

—El otro día estuve hablando con Martini —continuó Foa nombrando al oficial que estaba a cargo de los suministros, la persona a quien uno debía ir a ver para arreglar una radio o conseguir una linterna nueva—. Me enseñó la factura y me preguntó si sabía si estaban bien o no. El modelo que habían pedido, vaya.

—¿Y? —preguntó Brunetti, curioso por saber de dónde salía aquella conversación.

—Bueno, todos conocemos el modelo, señor. Es una porquería. Ninguno de los taxistas lo quiere, y el único que yo conozco que se lo compró un día se cabreó tanto con el cacharro que lo arrancó del parabrisas de la lancha y lo tiró por la borda. —Foa avanzó hacia la lancha y se detuvo de nuevo—. Eso fue lo que le dije a Martini.

—¿Y qué hizo él?

—¿Qué iba a hacer? El pedido se hace desde no sé qué oficina central de Roma y alguien se saca un pico por encargar los GPS, mientras otro tipo se saca otro pellizco por aprobarlo.

Se encogió de hombros y subió a la lancha.

Brunetti lo siguió, perplejo con aquella historia, pues seguramente el patrón sabía perfectamente que él tampoco podía hacer nada al respecto. Así era como funcionaban las cosas.

Foa puso el motor en marcha y dijo:

—Martini me contó que en el pedido había una docena —dijo enfatizando la cantidad.

—Y, sin embargo, solamente hay seis lanchas, ¿no? —preguntó Brunetti.

Foa no se molestó en responder.

—¿Cuánto tiempo hace de esto, Foa?

—Un par de meses. Diría que ha sido este invierno.

—¿Sabe si los hemos recibido?

El hombre levantó la barbilla y chasqueó la lengua. El gesto le recordó al comisario el de un pilluelo de la calle, por la forma tan casual de desestimar una idea ridícula.

Brunetti se vio en una encrucijada que ya le era familiar, en la que avanzar únicamente significaba acabar retrocediendo; donde para ir hacia delante había que tomar el camino perpendicular, o bien cerrar los ojos, sentarse cómodamente y no moverse en absoluto. Si hablaba con Martini y averiguaba que se habían encargado y pagado unos GPS que no habían aparecido por ninguna parte, podía estar buscándose problemas. Por otro lado, también podía husmear un poco por su cuenta y quizá así consiguiese evitar futuros desfalcos del erario público. La otra opción era dejar pasar el asunto y concentrarse en cosas más importantes o que al menos tuviesen remedio.

—¿Qué le parece, está llegando la primavera? —le preguntó al patrón.

Foa apartó la mirada un instante y sonrió: no podían estar más de acuerdo.

—Puede que sí, señor. Eso espero, porque estoy hasta las narices del frío y de la niebla.

Cuando salieron al *bacino* y miraron al frente, ambos contuvieron la respiración. El gesto no tenía nada de teatral ni pretendían con él escenificar ni afirmar nada. No era más que la expresión de la respuesta humana a un fenómeno de otro mundo, a algo imposible: frente a ellos se encontraba la popa de uno de los cruceros más grandes y modernos que existían. Su gigantesco trasero parecía mirarlos directamente, como si los desafiara a hacer un comentario.

Siete, ocho, nueve, hasta diez cubiertas. ¿Cómo era posible? Desde donde ellos miraban, aquel gigante tapaba las vistas de la ciudad, la luz del sol y cualquier percepción de sentido, razón o propiedad de las cosas. Siguieron a la zaga del buque, observando cómo la estela que iba creando se abalanzaba lentamente sobre ambas orillas, pequeña ola tras pequeña ola. Por Dios, ¿qué efecto podía tener sobre la piedra de la *riva* y sobre el material de cientos de años de antigüedad que la mantenía en su sitio el gran volumen de agua que el crucero desplazaba? De pronto una ráfaga traviesa de aire les echó encima los gases del tubo de escape del barco y durante unos instantes la atmósfera se volvió irrespirable. Con la misma rapidez, el ambiente volvió a llenarse de la dulzura de la primavera y de sus capullos y hojas verdes, hierba fresca y la alegría embriagadora de la naturaleza, que regresaba para el comienzo de una nueva función.

Decenas de metros por encima de sus cabezas se veía una multitud que bordeaba la cubierta; como un campo de girasoles, todos movieron la cabeza para admirar la belleza de la Piazza, de las cúpulas y del campanario. Por el otro lado apareció un *vaporetto* que se dirigía hacia ellos, y los que viajaban en él, que sin duda eran venecianos, alzaron los puños y los agitaron ante los pasajeros; pero los turistas miraban en otra dirección y no repararon en los simpáticos lugareños. Brunetti se acordó del capitán Cook: rescatado a rastras de las olas, sacrificado, cocinado y degustado por otros simpáticos lugareños. «Muy bien», se dijo entre dientes.

No mucho más allá, Foa acercó la lancha a la *riva* derecha del Zattere, metió marcha atrás y después punto muerto para dejar que se detuviese poco a poco. Agarró una soga del muelle, saltó al pavimento y se agachó para hacer rápidamente un nudo. Después se inclinó y tomó la mano de Brunetti para ayudarlo a saltar a tierra.

—Seguramente tardaré un buen rato —le dijo el comisario al patrón—. Vale más que vuelva.

Pero Foa no le estaba prestando atención: tenía la mirada fija en la popa del crucero mientras este avanzaba lentamente en dirección al muelle de San Basilio.

—He leído —empezó a decir Brunetti en veneciano— que no se puede tomar ninguna decisión al respecto hasta que todas las agencias se pongan de acuerdo.

—Ya lo sé —respondió Foa sin apartar la mirada del barco—. Magistrato alle Acque, Regione, la junta de la ciudad, la autoridad portuaria, no sé qué ministerio de Roma...

Hizo una pausa, inmóvil mientras el buque se alejaba sin apenas menguar. Entonces Foa recuperó la voz y nombró a algunos de los miembros de esas comisiones.

Brunetti conocía a muchos, pero no a todos, y el patrón, al decir los nombres de tres antiguos cargos electos de la ciudad de mayor rango, enfatizó los apellidos como un carpintero amartillando los últimos clavos sobre la tapa de un ataúd.

—No consigo entender por qué dividen así estas cosas —dijo Brunetti.

Al fin y al cabo, Foa provenía de una familia que había vivido siempre en la laguna y de ella: pescadores, pescaderos, marineros, patrones y mecánicos de la ACTV. A los Foa solo les faltaba que les saliesen agallas; si alguien entendía la burocracia del agua sobre la que vivía la ciudad y que la sustentaba, tenía que ser gente como ellos.

Foa le brindó la misma sonrisa que un maestro a su alumno menos avispado: afectuosa, conmovedora, de superioridad.

—¿Acaso cree que entre los ocho comités van a decidir algo?

Brunetti miró al piloto y lo vio todo claro.

—Y solamente una decisión unánime impedirá el

paso a los barcos —dijo el comisario, conclusión que hizo que Foa sonriera más ampliamente.

—Pueden estar dándole vueltas a ese tema toda la vida —dijo el patrón, sintiendo auténtica admiración por la genialidad de dividir la decisión entre tantas organizaciones gubernamentales—: cobrando el sueldo, haciendo inspecciones en otros países para ver cómo se hacen allí las cosas, reuniéndose para discutir proyectos y planes...

Entonces se acordó de un artículo que había visto recientemente en *Il Gazzettino*.

—O empleando a sus esposas e hijos como consultores.

—¿Y qué me dice de recoger los regalitos que se caigan de las mesas de reuniones de los distintos armadores? —sugirió Brunetti, aunque sabía mientras lo decía que no era el tipo de ejemplo que debía mencionar delante de alguien del gremio uniformado.

Foa le ofreció una sonrisa simpática, pero se limitó a señalar el estrecho canal y decir:

—Por ahí, justo antes del puente. Es la puerta verde.

Brunetti le agradeció el transporte y las señas con un gesto de la mano. Un momento después oyó que el motor volvía a la vida y, cuando se volvió, la lancha policial ya estaba saliendo al canal, trazando un amplio arco en la dirección de donde habían venido.

Se dio cuenta de que el pavimento estaba mojado y de que junto a las paredes de los edificios frente a los que pasaba había charcos. Por curiosidad se acercó a la *riva* y miró el agua, pero esta llegaba a tan solo medio metro por debajo de sus pies. La marea estaba baja, no había habido *acqua alta* y no llovía desde hacía días, de modo que el agua solamente podía haber llegado allí impulsada por el paso de una embarcación. Y tenían que creerse él y el resto de los ciudadanos a los que la administración tomaba por imbéciles, que los cruceros no hacían ningún daño a la estructura de la ciudad.

¿Acaso la mayoría de los hombres que tomaban estas decisiones no eran venecianos? ¿Es que no habían nacido en la ciudad y tenían a sus hijos estudiando en las escuelas y en la universidad? Probablemente en las reuniones se hablase veneciano.

Pensó que iba a recuperar la memoria a medida que se acercase a la biblioteca, pero el entorno seguía sin sonarle. Tampoco recordaba si el *palazzo* era el hogar de Merula mientras este vivió en Venecia: de eso se ocupaba el Archivio Storico, no la policía, cuyos archivos no se remontaban mil años.

Al entrar por la puerta verde, Brunetti se dijo que el lugar le resultaba familiar, aunque en realidad lo que estaba viendo tenía el mismo aspecto que cualquier otro patio renacentista de la ciudad, incluyendo la escalera abierta que conducía al primer piso y un pozo con una tapa metálica que lo atrajo por el buen estado de la talla, a salvo entre aquellos cuatro muros durante siglos. Unos cuantos ángeles rechonchos sujetaban un blasón que no reconocía y, a pesar de que las alas de algunos de ellos requerían atención inmediata, el resto de las tallas se había mantenido intacto. Aventuró que era del siglo xiv. El pozo tenía una guirnalda de flores talladas que rodeaba el borde, justo por debajo de la tapa metálica, y Brunetti se sorprendió de recordar aquel elemento con tanta precisión, si bien el resto de lo que vio apenas le sonaba.

Se dirigió hacia las escaleras que aún conservaba en la memoria y cuyo pasamanos de mármol estaba salpicado de cabezas de león talladas y colocadas a intervalos regulares, cada una de ellas del tamaño de una piña. Subió y acarició dos de las cabezas de león. Al llegar al final del primer tramo, vio una puerta y, al lado, una placa de latón que decía: BIBLIOTECA MERULA.

Entró y notó que el ambiente era más fresco. A aquella hora de la tarde la temperatura se había vuelto más clemente y Brunetti empezaba a arrepentirse de llevar la chaqueta de lana, pero de pronto sintió que el sudor de la espalda se le secaba.

En un pequeño vestíbulo había un hombre joven sentado tras un mostrador. Lucía una moderna barba de dos días y tenía frente a él un libro abierto. Miró a Brunetti, sonrió y, cuando este se acercó al mostrador, preguntó:

—¿En qué puedo ayudarle?

El comisario sacó su identificación de la cartera y se la mostró.

—Ah, sí —dijo el joven—. Tendrá que hablar con la *dottoressa* Fabbiani, *signore*. Está arriba.

—¿Esto no es la biblioteca? —preguntó señalando la puerta que había detrás del joven.

—Este es el fondo moderno. Los libros antiguos están arriba; tiene que subir un piso más. Lo cambiaron todo hace diez años —añadió al ver la confusión de Brunetti, y después sonrió—. Mucho antes de que yo entrara aquí.

—Y mucho después de mi última vez aquí —dijo Brunetti, y salió a la escalera.

A falta de leones, el comisario deslizó la mano por el mármol biselado, pulido por siglos de uso. Al final encontró una puerta con un timbre a la derecha. Llamó y después de un momento le abrió la puerta un hombre unos años más joven que él, vestido con una chaqueta azul con botones de cobre y con un corte de pelo de estilo militar. Era de estatura media, fornido, y tenía los ojos azules y la nariz fina y ligeramente torcida hacia un lado.

—¿Es usted el *commissario*? —le preguntó.

—Sí —respondió al tiempo que le ofrecía la mano—. Guido Brunetti.

El hombre se la estrechó rápidamente.

—Piero Sartor —dijo, y dio un paso atrás para permitirle entrar en lo que parecía la taquilla de una pequeña estación de ferrocarril de provincias.

A mano izquierda había un mostrador que le llegaba a la cintura y, encima, un ordenador y dos bandejas de madera para documentos. Al otro lado, apoyado contra la pared, había un carro con ruedas con una pila de lo que parecían ser libros muy antiguos.

Por mucho que hubiese un ordenador, cosa que no existía en las bibliotecas que Brunetti visitó como estudiante, el olor seguía siendo el mismo: los libros viejos siempre le provocaban nostalgia por los siglos en los que no había vivido. Estaban impresos en papel fabricado con trapos viejos que se hacían trizas, se golpeaban, se mezclaban con agua y se batían una y otra vez. Con esa pasta se formaban enormes hojas sobre las que se imprimía, y después se doblaban incontables veces y se cosían y encuadernaban a mano. «Todo ese esfuerzo para dejar constancia y recordar quiénes somos y qué pensamos», reflexionó. Recordaba lo mucho que le gustaba el tacto y el peso de los libros, pero sobre todo le venía a la mente esa fragancia seca y suave, ese empeño del pasado por abrirse paso hacia la realidad. Cuando el hombre cerró la puerta y se dirigió a él, Brunetti salió de su ensoñación.

—Soy el vigilante. El que encontró el libro —dijo intentando eliminar todo rastro de orgullo de su voz, aunque sin éxito.

—¿El que está estropeado? —preguntó Brunetti.

—Sí, señor. Es decir, yo lo traje de la sala de lectura, y cuando la *dottoressa* Fabbiani lo abrió, vio que alguien había cortado unas páginas.

La indignación y algo cercano a la ira le robaron el puesto al orgullo.

—Entiendo —dijo Brunetti—. ¿Usted se encarga de traer los libros al mostrador? —preguntó con curiosidad por saber cuáles podían ser las tareas de un vigilante en aquella institución; supuso que era su puesto lo que hacía que Sartor estuviese dispuesto a hablar con la policía de forma tan inusitada.

El hombre le lanzó una repentina mirada perspicaz que podía reflejar tanto alarma como confusión.

—No, señor, pero era un libro que había leído. Bueno, trozos. Lo reconocí enseguida y pensé que no debía quedarse sobre la mesa —soltó—. Cortés. El español ese que fue a América del Sur.

Sartor no parecía seguro de cómo explicar aquello, así que prosiguió más pausadamente.

—Hablaba con tanto entusiasmo de los libros que leía que me interesé por ellos y quise echar un vistazo.

El gesto de Brunetti debía de ser de verdadera curiosidad, pues el hombre continuó explicándose:

—Es estadounidense, pero habla muy bien el italiano. Si no te lo dicen, ni te das cuenta. Si yo estaba en el mostrador cuando él esperaba a que le trajesen los libros, teníamos la costumbre de charlar un poco. —Hizo una pausa, y al ver la expresión del comisario siguió—: A media tarde tenemos un descanso, pero yo no fumo y tampoco puedo beber café —dijo, y añadió—: Es por el estómago. Ya no me sienta bien. Bebo té verde pero en los bares de por aquí no tienen; al menos no del tipo que yo bebería.

Antes de que Brunetti pudiera preguntarle por qué le estaba contando todo eso, Sartor dijo:

—Entonces tengo media hora libre. Y como no suelo querer salir, empecé a leer. Algunos de los investigadores que vienen mencionan ciertos títulos y a veces intento leerlos. —Sonrió nerviosamente, como si fuera consciente de haber traspasado algún tipo de barrera social—. Así tengo algo interesante que contarle a mi mujer cuando llego a casa.

Las sorpresas que le daba la gente siempre deleitaban a Brunetti; las personas hacían y decían las cosas más inesperadas, tanto buenas como malas. En una ocasión, un compañero le dijo que cuando su mujer estaba dando a luz a su primer hijo y llevaba ya siete horas de parto se cansó de escuchar sus quejas: Brunetti tuvo que resistir el impulso de abofetearlo. Se acordó también de la esposa de su vecino, cuyo gato salía todas las noches por la ventana de la cocina a recorrer los tejados del vecindario y volvía por las mañanas con una pinza en la boca en lugar de un ratón: una ofrenda parecida a la anécdota interesante que Sartor le brindaba a su mujer.

Brunetti, interesado en su respuesta, preguntó:

—¿Hernán Cortés?

—Sí —respondió Sartor—. Conquistó aquella ciudad de México que llamaban la Venecia del Oeste. Bueno, así la llamaban los europeos, no los mexicanos —añadió como temiendo que lo considerase un idiota.

Brunetti asintió indicando que comprendía.

—Era interesante, pero no paraba de darle las gracias a Dios siempre que mataba a un montón de gente. Eso no me pareció muy bien; pero como escribía para el rey, supongo que tenía que decir cosas así. Eso sí, lo que explicaba sobre el país y sus gentes era fascinante. A mi mujer también le gustó.

Miró al comisario y la sonrisa de aprobación de un compañero de lectura bastó para animarlo a continuar.

—Me gustaba ver lo diferentes que eran las cosas. Había leído un trozo y quería acabarlo. El caso es que cuando lo vi en el sitio donde él se suele sentar reconocí el título, *Relación*, y lo traje aquí abajo porque pensé que un libro como ese no debería estar tirado sobre la mesa.

Brunetti supuso que este señor sin nombre era el hombre que creían que había cortado las páginas del libro, así que preguntó:

—Si todavía estaba trabajando con el libro, ¿por qué lo trajo aquí?

—Riccardo, el del primer piso, me dijo que lo vio bajar las escaleras mientras yo estaba comiendo, cosa que nunca había hecho. Siempre viene poco después de abrir y se queda hasta la tarde. —Se quedó pensando un momento y después añadió con verdadera preocupación—: No sé cuándo come; espero que no lo haga aquí dentro.

Entonces, como avergonzado por haber confesado algo como aquello, continuó:

—De modo que subí para ver si iba a volver.

—¿Cómo podía saberlo? —preguntó Brunetti con verdadera curiosidad.

Sartor sonrió ligeramente.

—Señor, cuando uno lleva mucho tiempo trabajando aquí aprende a interpretar las señales: había recogido los lápices, los rotuladores y la libreta. No sé cómo explicarlo, pero sé si han terminado o si van a volver.

—¿Y había terminado?

El vigilante asintió con vehemencia.

—Los libros estaban apilados en el sitio donde estaba él ese día y la luz, apagada. Por eso supe que no iba a volver y devolví el libro al mostrador de préstamos.

—¿Y eso era inusual?

—Para él sí. Siempre lo recogía todo y bajaba los libros él mismo.

—¿A qué hora se marchó?

—No sé la hora exacta, señor. Antes de que yo volviese a las dos y media.

—¿Y entonces?

—Como le digo, Riccardo me dijo que se había marchado y subí para asegurarme y ver qué había hecho con los libros.

—¿Hace usted eso normalmente? —preguntó Brunetti, pues le parecía curioso que el vigilante pareciese alarmado la primera vez que se lo había preguntado.

En esta ocasión contestó con mayor soltura.

—No, señor. Pero es que antes yo me ocupaba de llevar los libros a los lectores y después los devolvía a las estanterías, y supongo que lo hice por impulso. No soporto ver los libros encima de la mesa si no hay nadie usándolos —añadió con una sonrisa muy natural.

—Entiendo —dijo Brunetti—. Continúe, por favor.

—Los bajé al mostrador de préstamos. La *dottoressa* Fabbiani volvía de una reunión, y cuando vio el libro de Cortés me lo pidió y al abrirlo se dio cuenta de lo que había ocurrido.

Entonces, hablando más lentamente, como si conversara consigo mismo, dijo:

—No entiendo cómo pudo hacerlo. Normalmente hay más gente en la sala.

Brunetti pasó el comentario por alto y le preguntó:

—¿Por qué abrió ese libro en concreto?

—Dijo que lo había leído en la universidad y que le encantaba el dibujo que había de la ciudad. Por eso lo cogió y lo abrió. —Se quedó pensando un momento y añadió—: Dijo que estaba encantada de verlo después de tantos años. —Vio la expresión de Brunetti y añadió—: La gente que trabaja aquí siente ese tipo de cosas por los libros, claro.

—Ha dicho que normalmente hay más personas en la sala, ¿verdad? —inquirió Brunetti sin mucha convicción.

Sartor asintió.

—Normalmente hay uno o dos investigadores y un hombre que lleva tres años leyendo a los Padres de la Iglesia, señor. Lo llamamos Tertuliano porque ese es el autor del primer libro que pidió, y se le quedó el nombre. Viene todos los días y supongo que de algún modo contamos con él como una especie de vigilante.

Brunetti se abstuvo de comentar las preferencias lectoras de Tertuliano y se contentó con sonreír.

—Lo entiendo.

—¿El qué, señor?

—Que confíen en alguien que lleva años leyendo a los Padres de la Iglesia.

El hombre sonrió nerviosamente en respuesta al tono de Brunetti.

—Quizá no fuimos lo suficientemente cuidadosos. —Al ver que el comisario no contestaba, añadió—: Con la seguridad, quiero decir. A la biblioteca viene muy poca gente, y después de un tiempo es como si los conociéramos. Por eso dejamos de sospechar de ellos.

—Peligroso —se permitió decir Brunetti.

—Como mínimo —dijo una voz de mujer que hablaba su espalda.

El comisario se dio media vuelta para conocer a la *dottoressa* Fabbiani.

2

Era alta y delgada y, a primera vista, tenía el aspecto de esas esbeltas aves zancudas que eran tan comunes en la laguna. Igual que ellas, tenía la cabeza de color gris plateado y el pelo muy corto; estando de pie se inclinaba hacia delante con la espalda arqueada y los brazos hacia atrás, sujetándose una muñeca con la otra mano. También como ellas, sus largas extremidades inferiores terminaban en un par de anchos pies de color negro.

Se les acercó dando grandes zancadas, soltó la mano derecha y se la ofreció a Brunetti.

—Soy Patrizia Fabbiani —dijo—. La directora.

—Siento que nos tengamos que conocer en estas circunstancias —dijo Brunetti recurriendo a una fórmula de cortesía; hasta que se hacía a la idea de con quién estaba tratando, siempre le parecía prudente obrar así.

—Piero, ¿se lo has contado al *commissario*? —preguntó la mujer al vigilante, a quien tuteaba como si fuera un amigo y no un empleado.

—Le he contado que devolví el libro al mostrador, pero que no me había dado cuenta de que le faltaban páginas —respondió sin dirigirse a ella directamente y sin permitir que Brunetti averiguase si en aquel lugar todo el mundo tenía permiso para tutear a la directora. Eso podía ser normal en una zapatería, pero no en una biblioteca.

—¿Y el resto de los libros que consultó? —preguntó Brunetti a la *dottoressa*.

Ella cerró los ojos y él se la imaginó abriendo volúmenes y descubriendo que algunas de sus páginas habían desaparecido.

—Hice que me los trajeran después de ver el primero. Hay tres más: a uno le faltan nueve páginas.

Supuso que no se había puesto guantes para comprobarlo. Quizá una bibliotecaria era tan incapaz de mantener las manos quietas tras ver que alguien había estropeado un libro intencionadamente como un médico viendo a una persona sangrar.

—¿Cuán grave considera la pérdida? —preguntó.

Esperaba que la respuesta le diese alguna idea sobre qué estaba en juego en un delito como aquel. La gente robaba cosas por su valor, pero Brunetti sabía que ese era un concepto muy relativo a menos que el ladrón se hubiese llevado dinero. El valor de un objeto podía ser sentimental o su precio en el mercado, en cuyo caso este vendría determinado por su rareza, su estado y la demanda existente de objetos de su clase. ¿Cómo se tasa la belleza? ¿Qué valor tiene la importancia histórica? Echó una mirada furtiva a los libros que había en el carro junto a la pared, pero la apartó inmediatamente.

Ella lo miró a la cara y, en lugar de los ojos de un ave zancuda, el comisario vio la mirada de una persona muy inteligente que comprendía que cualquier respuesta a esa pregunta era muy compleja.

La *dottoressa* cogió algunas hojas de papel que había en la mesa que estaba a su lado.

—Estamos elaborando una lista de los libros que ha consultado desde que vino la primera vez, incluyendo los que he visto hoy —dijo a modo de respuesta, sin hacer caso alguno a los que había en el carro que tenía detrás—. En cuanto sepamos cuáles son los títulos y podamos examinarlos, sabremos con más certeza lo que se ha llevado.

—¿Desde cuándo viene este hombre?

—Desde hace tres semanas.

—¿Podría ver los libros que ya han encontrado? —pidió Brunetti.

—Por supuesto, faltaría más —dijo ella, y se volvió hacia el vigilante—: Piero, pon un cartel en la puerta: «Cerrado por problemas técnicos». —Se dirigió a Brunetti con una sonrisa amarga—: Supongo que no deja de ser verdad.

Brunetti no consideró oportuno responder.

—¿Queda alguien en la sala de lectura? —preguntó la *dottoressa* Fabbiani al vigilante mientras este escribía el cartel.

—No. Hoy solamente han venido él y Tertuliano, que también se ha marchado.

Cogió la hoja de papel, sacó un rollo de cinta adhesiva de un cajón del mostrador y se fue hacia la entrada.

—*Oddio* —dijo la *dottoressa* Fabbiani entre dientes—. Me había olvidado de él. Prácticamente es parte del personal, un elemento más de la biblioteca. —Y negó con la cabeza irritada por su propio descuido.

—¿A quién se refiere? —preguntó Brunetti, curioso por saber si su explicación se correspondía con la del vigilante.

—A un señor que viene a leer desde hace años —contestó—. Lee tratados religiosos y es muy amable con todo el mundo.

—Entiendo —dijo Brunetti, y decidió pasar esa información por alto, de momento—. ¿Podría explicarme cómo se accede al fondo de la biblioteca?

Ella asintió.

—Es muy fácil. Los residentes deben enseñar la *carta d'identità* y un documento en el que aparezca la dirección actual. Si no son residentes de la ciudad y quieren tener acceso a ciertos libros, tienen que entregar un escrito sobre el proyecto de investigación que están realizando, una carta de recomendación de una institución académica o de otra biblioteca y su carné de identidad.

—¿Cómo saben que aquí pueden llevar a cabo su investigación?

Al ver la expresión de confusión de la directora, se dio cuenta de que no había formulado bien la pregunta.

—Es decir, ¿cómo saben qué libros hay en el fondo?

Ella se sorprendió demasiado como para disimularlo.

—Todo está en línea. Solo tienen que buscar aquello que les interesa.

—Ah, claro —dijo Brunetti, avergonzado por haber hecho una pregunta tan tonta—. El sistema era diferente cuando yo estudiaba. Todo era diferente —añadió mirando a su alrededor.

—¿Usted solía venir aquí? —preguntó ella con curiosidad.

—Vine alguna vez, cuando estaba en el *liceo*.

—¿Qué venía a leer?

—Historia, más que nada. Los romanos. Pero a veces también leía a autores griegos. Siempre traducidos —añadió sintiendo la necesidad de confesar.

—¿Para clase? —preguntó ella.

—A veces sí; pero en general porque me gustaba.

Ella se lo quedó mirando y abrió la boca como para

decir algo, pero entonces se dirigió hacia lo que él calculaba que debía de ser la parte trasera del edificio.

Se acordó de la carrera universitaria y la eternidad que solía pasar en las bibliotecas: buscar el título en el catálogo de fichas, rellenar el impreso de solicitud por duplicado (para un máximo de tres libros), entregar los impresos a la bibliotecaria, esperar a que le trajesen los libros, ir a leer a una mesa y entregarlos al final del día. Se acordó de las bibliografías y de la avidez con que las leía, esperando que le proporcionasen otros títulos sobre el mismo tema. En ocasiones un profesor mencionaba alguna fuente útil, pero en general se trataba de una excepción: la mayoría atesoraba la información de la que disponía, como si creyeran que compartiéndola con un estudiante perderían el control sobre ella para siempre.

—¿Tenían algo en común los libros que pedía el americano? —preguntó Brunetti.

—Eran libros de viajes —contestó ella—. Exploradores venecianos en el Nuevo Mundo. —Hizo ruido con las hojas de papel—. Al menos esa era la temática de lo que pedía al principio. Después de dos semanas empezó a pedir libros de escritores que no eran venecianos, y al final... —Interrumpió el relato para consultar las páginas que tenía en la mano—. Al final pedía libros sobre historia natural. Están todos aquí —dijo volviendo a prestar atención a Brunetti.

—Pero ¿qué tenían en común? —preguntó el comisario.

—Ilustraciones —dijo ella, y confirmó lo que él ya sospechaba—. Mapas, dibujos de especies hechos por exploradores y por los artistas que los acompañaban. Muchas eran acuarelas, originales de la época de impresión.

Como si lo que acababa de decir la sorprendiese, la

dottoressa levantó la mano con que sujetaba las hojas para taparse la boca y cerró los ojos de golpe.

—¿Qué pasa? —quiso saber Brunetti.

—El Merian —dijo.

Brunetti parecía confundido, y ella se quedó inmóvil durante tanto tiempo que el *commissario* temió que estuviese a punto de sufrir algún tipo de ataque. No obstante, de pronto vio que se relajaba: dejó caer la mano y abrió los ojos.

—¿Se encuentra bien? —preguntó.

Ella asintió.

—¿Qué pasa? —inquirió Brunetti, aunque se cuidó de no acercarse a ella.

—Un libro.

—¿Cuál?

—Un libro de dibujos de una mujer alemana —dijo ella, que cada vez parecía más tranquila—. Nosotros tenemos una copia, y por un momento me temía que este hombre se hubiese hecho con ella. Pero me he acordado de que lo hemos prestado a otra biblioteca. —Cerró los ojos y susurró—: Gracias a Dios.

Brunetti dejó pasar un largo instante antes de atreverse a hacer la siguiente pregunta.

—¿Tiene su solicitud?

—Sí —respondió la mujer con una sonrisa, como si se alegrara de cambiar de tema—. Está en mi despacho: una carta de su universidad que explica su proyecto de investigación, con una recomendación y una fotocopia de su pasaporte.

Se dio media vuelta y cruzó la sala.

Al llegar a la puerta, la abrió con una tarjeta de plástico que llevaba colgada al cuello con un largo cordón. Brunetti la siguió y cerró la puerta tras de sí. La *dottoressa* lo guio a través de un extenso pasillo iluminado únicamente por luz artificial.

Al alcanzar el otro extremo, volvió a utilizar la tarjeta para entrar en una amplia sala llena de hileras de estanterías que estaban tan cerca las unas de las otras que solo se podía pasar en fila de a uno. Allí dentro el aroma era más pronunciado, y Brunetti se preguntó si la gente que trabajaba en aquel lugar dejaba de notarlo después de un tiempo. En la entrada, la *dottoressa* sacó un par de guantes de algodón del bolsillo. Mientras se los ponía, dijo:

—No me ha dado tiempo de mirar los otros libros que consultó, solo los de hoy. Algunos están aquí, así que podemos echar un vistazo ahora.

Miró la primera hoja y después giró a la izquierda, fue directamente hacia la tercera hilera de estanterías y, sin que se la viera siquiera molestarse en observar los lomos de los libros, se detuvo antes de llegar al final y se agachó para sacar uno de la balda inferior.

—¿Sabe dónde está todo? —preguntó él desde un extremo del pasillo.

La directora se acercó y dejó el volumen en una mesa, junto a él. Se agachó para abrir un cajón y sacó un par de guantes que le dio a Brunetti.

—Casi todo. Llevo aquí siete años. —Volvió a mirar la hoja y señaló el otro extremo del pasillo—. Estoy segura de que he recorrido cientos de kilómetros entre estas librerías.

El comentario le trajo a la memoria a un agente uniformado de Nápoles que conoció cuando estuvo destinado allí y que una vez le dijo que, tras veintisiete años en el cuerpo, había caminado al menos cincuenta mil kilómetros, mucho más que el perímetro de la Tierra. Ante la incredulidad evidente de Brunetti, el agente le explicó que eran diez kilómetros por jornada laboral, durante veintisiete años. El *commissario* se fijó en el pasillo e intentó estimar su longitud: ¿cincuenta metros? ¿Más?

La siguió durante veinte minutos mientras ella avanzaba de sala en sala y le iba cargando con más y más libros. A medida que pasaba el tiempo, se dio cuenta de que el olor le resultaba cada vez menos perceptible. En un momento dado, le hizo parar delante de una mesa y amontonó allí los libros que Brunetti llevaba antes de reemprender su recorrido. Se convirtió en su Ariadna, y lo guio por el laberinto mientras se detenía una vez y otra y le alcanzaba los volúmenes. Brunetti no tardó en perderse: solamente era capaz de orientarse si veía una ventana que diese a la Giudecca, pues los edificios vecinos que se observaban desde allí no le servían de pista.

Finalmente, después de darle dos libros más, la directora volvió a la primera página de la lista y Brunetti supo que habían terminado.

—Echemos un vistazo aquí mismo —dijo ella, y lo llevó hacia la mesa donde habían dejado los libros. Él esperó hasta que la directora le cogió los últimos y los posó sobre la mesa.

La *dottoressa* fue al primer montón, cogió el de arriba y lo abrió. Brunetti se acercó, vio la guarda anterior y después, cuando ella pasó la página, la portada. La ausencia del frontispicio era evidente únicamente por el fragmento de papel que quedaba junto a la costura. Aunque aquello no tenía el menor aspecto de herida, Brunetti no pudo evitar pensar que el libro había sufrido.

La oyó suspirar y vio cómo lo cerraba y le daba la vuelta para mirar las páginas desde abajo; sin duda, estaba buscando espacios entre las hojas de grueso papel. Con los dedos torpes por culpa de los guantes, la *dotto-*

ressa posó el volumen sobre la mesa, se quitó los guantes y empezó a pasar las páginas lentamente. No tardó en encontrar el muñón de otra página cortada y luego otra y otra, y por fin llegó al final del libro.

Lo dejó aparte y cogió otro al que también le faltaba el frontispicio y otras siete páginas. Lo cerró y lo puso encima del anterior. Cuando se inclinó para coger otro volumen, Brunetti vio que algo caía sobre la encuadernación de cuero rojo que la mudó inmediatamente de un color rosado a burdeos. La mujer usó el lado de la mano para secarla.

—Qué necios somos —se dijo a sí misma.

¿A quién se refería?, se preguntó Brunetti. ¿A los que hacían cosas como esa o a los que lo permitían con su dejadez?

Se quedó a su lado mientras ella examinaba, según contó, otros veintiséis libros. A todos menos a dos les habían cortado alguna página.

Dejó el último sobre el montón y se inclinó hacia delante con las manos apoyadas en el borde de la mesa.

—También falta algún libro entero. Aunque puede que simplemente lo hayan colocado donde no toca —añadió ella, y Brunetti pensó que a menudo algunas personas se negaban a aceptar hasta los diagnósticos más evidentes.

—¿Es posible? —preguntó el comisario.

Ella miró los libros que tenía delante y dijo:

—Si me lo hubiera preguntado ayer, le hubiese dicho que nada de esto era posible.

—¿Qué les falta? —quiso saber dejando claro que no creía en la posibilidad de que estuviesen mal colocados—. ¿Algún libro que había consultado el americano?

—No, eso es lo que me extraña. Aunque son el mismo tipo de libro de viajes.

—¿Cuáles? —preguntó entonces Brunetti, a pesar de que no creía probable que pudiera reconocer siquiera uno de los títulos.

—Una traducción al alemán del *Delle Navigationi et Viaggi* de Ramusio y una edición en latín de 1508 del *Paesi noua* de Montalboddo.

Lo dijo como si hablara con otro bibliotecario o archivero, segura de que él conocía los libros y sabría estimar su valor.

—El Montalboddo es una colección de relatos sobre lo que vieron una serie de viajeros —dijo al ver que él no comprendía sus palabras—. Ramusio recopiló informes.

Brunetti sacó su libreta y anotó los autores y lo que creía que eran los títulos. Volúmenes de quinientos años de antigüedad y, sin embargo, alguien había entrado allí como Pedro por su casa y se los había llevado como si nada.

—*Dottoressa* —dijo volviendo al problema más apremiante—, me gustaría ver la información que tiene sobre este individuo.

—Se la enseñaré con mucho gusto —dijo ella—. Espero... Espero que... —empezó a decir, pero olvidó la frase y se quedó callada.

—Si es tan amable, ocúpese de que nadie más toque los libros —pidió Brunetti—. Esta tarde vendrán mis hombres a buscar huellas dactilares. Si esto va a juicio, necesitaremos ciertas pruebas.

—¿Si va a juicio? —preguntó ella—. ¿Si va?

—Primero hay que encontrar al hombre, y cuando eso ocurra debemos tener pruebas de que es él quien se ha llevado los libros.

—Es que eso ya lo sabemos —dijo ella mirándolo como si se hubiese vuelto loco—. Es obvio.

Brunetti no dijo nada. A veces las cosas más obvias eran imposibles de demostrar, y por mucho que alguien supiese que algo era verdad, eso no solía valerle a un juez; no en ausencia de pruebas. Pero no quería tener que decírselo a la directora, así que la miró con benevolencia y señaló la puerta.

La siguió pasillo abajo hasta su despacho. Sobre el escritorio había una carpeta de cartón azul; la *dottoressa* se la tendió sin decir nada y después se acercó a una de las tres ventanas que daban a la iglesia del Redentor. Brunetti se preguntó si alguien podría redimir esos libros. Abrió la carpeta sobre el escritorio y empezó a leer el contenido.

Joseph Nickerson, nacido en Michigan hacía treinta y seis años, residencia actual en Kansas. Esto lo averiguó por el pasaporte, mientras que por la foto supo que el hombre tenía el pelo y los ojos claros, la nariz recta y un poco grande para su rostro, además de un pequeño hoyuelo en la barbilla. Su expresión era neutra y relajada, la cara de un hombre sin secretos, alguien con quien se podía hablar durante un vuelo corto sobre deportes o sobre lo horrible que era la situación de África. Pero no, pensó Brunetti, sobre libros antiguos.

Nickerson podía ser cualquier hombre de herencia anglosajona o norteña, y seguramente podía cambiar de aspecto poniéndose gafas y dejándose crecer el pelo, añadiendo quizá también una barba. Era tan poco notable que sería difícil de recordar, más allá de conservar una vaga idea de su expresión honesta y directa.

Eso le indicó no solo que se trataba de un profesional sino que además poseía esa cualidad de los hombres con gran confianza en sí mismos: la apariencia de una honestidad innata y natural. Un hombre que nunca alardeaba, nunca hacía juicios sobre lo que estaba bien y lo que estaba mal; pero su ademán, la confianza que depositaba en uno, el interés no disimulado en lo que uno tenía que decir y la curiosidad por aprender más lo volvían irresistible. Brunetti había conocido a dos hombres con esa cualidad y, aun habiéndolos interrogado, no estaba seguro de qué sabía realmente de ellos. A lo largo de los años había acabado viéndolo como un don, igual que lo es poseer una gran belleza o inteligencia. Un don que simplemente existía y que los que lo poseían podían hacer con él lo que quisieran.

Sujetando la hoja con cuidado por una esquina, la deslizó hacia la izquierda y leyó el siguiente documento. La carta de recomendación estaba firmada por el rector de la Universidad de Kansas, en Lawrence, Kansas, y decía que Joseph Nickerson era profesor adjunto de historia europea, que su especialidad era la historia del comercio marítimo y mediterráneo, cuya asignatura impartía, y que esperaba que la biblioteca pusiera su catálogo a su disposición. Debajo de una firma ilegible se encontraba el nombre escrito a máquina.

Cogió la carta por las dos esquinas superiores y la levantó para verla a la luz que entraba por la ventana. El membrete estaba impreso sobre el papel, quizá por la misma impresora que había impreso la carta. En realidad cualquiera podía hacer eso. Si no le fallaba la memoria, Kansas estaba en alguna parte del centro de Estados Unidos; tenía la vaga sensación de que estaba a la izquierda de Iowa o como mínimo cerca de allí, pero no cabía duda de que estaba en el interior: ¿entonces?, ¿historia del comercio marítimo y mediterráneo?

—Tendré que llevarme esto —dijo, y después hizo una pregunta—: ¿Tiene su dirección o un número de teléfono de Italia?

La *dottoressa* Fabbiani abandonó su contemplación de la iglesia.

—A menos que aparezca ahí, no. Solo se la pedimos a los residentes que desean acceder al fondo —dijo—. ¿Qué va a pasar ahora?

Brunetti metió los papeles en la carpeta y la cerró.

—Como ya le he dicho, vendrá un equipo a buscar huellas dactilares en los libros y en la mesa donde él solía sentarse. Esperamos encontrar alguna coincidencia con las que tenemos en nuestros archivos.

—Hace que todo parezca muy rutinario.

—Lo es —dijo Brunetti.

—A mí me suena a película del salvaje Oeste. ¿Por qué motivo no se nos informa de la actividad de esta gente? ¿Por qué no nos envían fotos para que podamos protegernos de ellos? —preguntó.

No estaba enfadada sino sorprendida.

—No tengo ni idea —respondió Brunetti—. Quizá las bibliotecas donde se llevan a cabo robos no quieren que cosas así salgan a la luz.

—¿Por qué?

—¿Tienen mecenas? ¿Benefactores?

Ella se quedó parada y el *commissario* esperó a que hiciese la conexión.

—Tenemos tres —dijo finalmente—, pero solo cuenta el privado; el resto del dinero proviene de fundaciones.

—¿Cómo respondería el donante privado?

—¿Si se enterase de que hemos permitido que esto ocurra? —dijo antes de levantar la mano y cerrar los ojos un instante.

Respiró hondo y se preparó para enfrentarse a la verdad.

—Dos de los libros pertenecían a su familia.

—Pertenecían.

Antes de mirarlo y responder, la *dottoressa* observó el dibujo del parqué.

—Formaban parte de una donación bastante grande. Debe de hacer más de diez años que la hizo.

—¿Qué libros son?

Lo único que tenía que hacer era nombrar los títulos, Brunetti notó que lo estaba intentando. Abrió la boca, pero era incapaz de hablar. Miró el parqué de nuevo y por fin se dirigió a él:

—Uno de los dos que han desaparecido; al otro le ha cortado nueve páginas —consiguió decir al final—. El apellido de la familia aparece en el listado central del catálogo —comentó antes de que a él le diese tiempo de preguntar cómo sabía de dónde venían los libros.

—¿Quiénes son? —quiso saber Brunetti.

—Los Morosini-Albani —dijo, y añadió—: Ellos nos dieron el Ramusio.

Brunetti se esforzó por ocultar su asombro: que un miembro de aquella familia fuese mecenas de cualquier cosa sorprendería —ya fuera para bien o para mal— a cualquier veneciano. Aunque la rama principal de la familia había proporcionado a la ciudad al menos cuatro dux, esta solamente había dado mercaderes y banqueros. Mientras que una rama de la familia gobernaba, la otra se dedicaba al negocio de la adquisición: una división familiar que se mantuvo —si Brunetti no se equivocaba— hasta el reino del último dux Morosini, durante el siglo XVII.

Entonces los Albani decidieron retirarse de la vida pública, replegarse a su *palazzo*, que habían decidido construir no en el Gran Canal sino en una parte de la ciudad donde el terreno era más barato, y continuar con la pasión familiar por la adquisición de riquezas. La actual *contessa*, una mujer viuda con tres hijastros muy polémicos, era amiga de la suegra de Brunetti. La *contessa* Falier había asistido a una escuela privada de monjas con la *contessa* Morosini-Albani cuando esta no era más que la hija pequeña de un príncipe siciliano que se había jugado la fortuna familiar en los casinos; de la matrícula se hacía cargo una tía soltera. Mucho después, la princesa se casó con el heredero de la fortuna Morosini-Albani y así es como adquirió su título nobiliario menor y tres hijos de un matrimonio anterior. Brunetti había coincidido con ella en alguna cena en casa de los padres de Paola; la conocía y había hablado con ella, y su veredicto era que se trataba de una mujer bien educada, inteligente y muy leída.

—¿Qué miembro de la familia les dio los libros?

—La *contessa* —respondió ella.

Como muchos extranjeros —y cualquiera que no hubiese nacido en Venecia era igual de foráneo que el resto—, la *contessa* Morosini-Albani había decidido volverse más veneciana que los venecianos. Su difunto marido era miembro del Club dei Nobili, adonde iba a fumar puros y leer *Il Giornale* mientras farfullaba cualquier cosa sobre el poco respeto que se mostraba a la gente de mérito. Ella, por su parte, acudía a comités para la salvación de esto y de lo otro, asistía sin falta a la inauguración de la temporada de La Fenice y escribía cartas de manera frecuente y feroz a *Il Gazzettino*. La posibilidad de que la familia regalase algo, sobre todo libros de gran valor, demandaba una enorme credulidad por parte de Brunetti. Los Morosini-Albani eran y siempre habían sido tacaños y muy poco generosos, y la vida le había enseñado al *commissario* que en escasas ocasiones las personas eran capaces de grandes cambios.

No obstante, pensó, al fin y al cabo ella era siciliana, y

los sicilianos eran dados a un legendario despilfarro en el mejor y en el peor sentido de la palabra. Los hijastros tenían fama de ser desagradecidos e irresponsables, así que quizá quiso fastidiarlos regalándolo todo antes de que pudieran echarle el guante ellos mismos. Quizá la *contessa* Falier tuviera más información.

—¿Tiene idea de cómo reaccionará la *contessa* cuando se entere?

La *dottoressa* Fabbiani se cruzó de brazos y se apoyó en el alféizar con las piernas rectas y los pies paralelos, como hacen las aves.

—Depende, supongo, de si el asunto se presenta como un descuido nuestro o no.

—Diría que se trata de un profesional que recibe encargos —dijo Brunetti queriendo insinuar que la negligencia no era un factor importante—. Probablemente trabaje para ciertos coleccionistas que quieren artículos muy específicos y que él les consigue.

Ella resopló.

—Bueno, al menos no ha dicho que los «adquiere» para ellos.

—Creo que eso hubiese sido demasiado —dijo Brunetti—, teniendo en cuenta mi empleo. —Se arriesgó a sonreír—. ¿También hace donaciones económicas a la biblioteca? —preguntó sin molestarse en nombrar a la *contessa*.

—Cien mil euros al año.

¿Los Morosini-Albani? Cuando se recuperó del susto lo suficiente como para hablar, Brunetti le hizo otra pregunta:

—¿Cuán importante es eso para ustedes?

—El Ayuntamiento, el Gobierno de la región y el central nos asignan fondos anuales, pero eso cubre únicamente los gastos de gestión de la biblioteca. Las cantidades que aportan los donantes nos permiten hacer adquisiciones y labores de restauración.

—Ha dicho que les dio libros, en plural. ¿Había muchos más?

Ella quiso mirar hacia otro lado, pero al no encontrar dónde, se volvió hacia Brunetti.

—Sí. Hizo una donación importante y estoy segura de que fue cosa de ella: el marido era... un Morosini-Albani. Nos ha prometido el resto de la biblioteca —dijo después de una pausa.

Al cabo de un momento añadió, casi en un susurro:

—Su familia fue el primer mecenas de Manucio.

Pero algo le impidió seguir hablando; quizá por superstición. Hablar de ello puede que impidiera que esa donación se llevara a cabo, y en ese caso la biblioteca perdería multitud de libros del más grande impresor de la más grande de las ciudades donde se imprimía.

Cuando, muy a su pesar, Brunetti tenía que ir a la escuela, su madre solía animarlo a salir de la cama diciéndole que cada nuevo día podía ofrecerle una maravillosa sorpresa. Es posible que cuando lo decía no estuviese pensando precisamente en la generosidad de los Morosini-Albani, pero sin duda no le faltaba razón.

—No se preocupe, *dottoressa*. No diré nada.

Aliviada, añadió:

—Su colección es... amplia. —Como queriendo aclarar lo que había dicho sobre el marido, continuó hablando—: La *contessa* es la única de la familia que comprende el verdadero valor de los libros y que los aprecia. No sé cómo lo aprendió porque no he tenido la osadía de preguntárselo, pero sabe mucho sobre libros antiguos, sobre impresión y conservación.

Alzó la mano trazando un amplio arco que pretendía, quizá, abarcar las habilidades de la *contessa*, pero hizo una breve pausa como si no estuviera segura de cuánto le podía revelar a Brunetti.

—Le he pedido consejo sobre temas de conservación en más de una ocasión. Tiene un don, una sensibilidad especial —añadió con la generosidad que él a veces encontraba entre académicos.

—Sensibilidad —repitió él.

Ella sonrió.

—«Amor» sería una palabra más acertada. Como le he dicho, nos los ha prometido.

—¿Prometido?

La directora miró alrededor del despacho.

—Después de esto —empezó a decir como si unos vándalos acabasen de destrozar el despacho y se hubiesen marchado dejando una estela de destrucción—, no volverá a confiar en nosotros.

—¿No le podría haber pasado en su propia casa?

—¿Se refiere a que alguien se la jugase?

—Sí —respondió Brunetti.

—No creo que haya alguien capaz de engañarla para quitarle algo —dijo ella.

3

Brunetti sonrió para mostrar que el comentario le parecía divertido, lo que era indudablemente cierto porque más o menos reflejaba su opinión de la *contessa*. Sin embargo, a posteriori se dio cuenta de que la *dottoressa* Fabbiani estaba expresando admiración sincera por lo fiera que era la *contessa*; cuando Brunetti quiso hacer una descripción de su carácter, esa fue la palabra que le vino a la mente. A pesar de que a lo largo de los años la había visto tan solo seis o siete veces, había escuchado tantas conversaciones sobre ella entre su esposa y su suegra que se había formado la imagen de una mujer de opiniones increíblemente firmes. Y que además —y esta era una cualidad que él siempre había admirado— odiaba con mucho sentido común. Lo que le resultaba aún más admirable era que odiaba de forma muy democrática, dispensando su odio por igual a la Iglesia y el Estado, la izquierda y la derecha. Paola la adoraba y su madre la consideraba su amiga íntima, otra prueba del sentido de la democracia inherente a las mujeres.

—*Dottoressa*, debo confesarle dos cosas —dijo con la esperanza de volver al asunto que les ocupaba.

Ella lo miró con cierta alarma, pero no dijo nada.

—Me refiero a mi ignorancia sobre el valor monetario de los libros que han desaparecido y sobre el mercado que pueda existir para las páginas que se han llevado. —Hizo una pausa, pero ella no tenía nada que decir ni preguntar—. Por ese motivo, creo que este caso debería llevarlo el Departamento de Robos de Arte. No obstante, ellos están en Roma y...

—¿Y tienen asuntos más importantes de los que preocuparse? —preguntó ella.

Ninguno de los dos consideró oportuno mencionar la explosión de robos en hogares, iglesias, bibliotecas y museos —incluso en la biblioteca del Ministerio de Agricultura— que había tenido lugar en los últimos años. Brunetti leía con regularidad las circulares del Departamento de Robos de Arte y de la Interpol que anunciaban los casos más importantes, no solo de cuadros y de estatuas, sino de manuscritos y libros, tanto volúmenes enteros como páginas sueltas. Cualquier cosa les valía a los nuevos vándalos de libros que campaban a sus anchas por las colecciones más antiguas de Europa.

—¿Cuántos volúmenes tienen aquí, *dottoressa*? —preguntó.

Ella ladeó la cabeza mientras sopesaba la pregunta.

—El fondo completo es de unos treinta mil, pero la gran mayoría están abajo, en la colección normal. Aquí arriba —dijo señalando con la mano las salas que había detrás de Brunetti—, tenemos unos ocho mil volúmenes y la colección de manuscritos, que incluye otros doscientos, aproximadamente.

—¿Algo más?

—Una colección de miniaturas persas: un comerciante las trajo de Irán a principios del siglo pasado. Si alguien las quiere ver tiene que estar acompañado del personal de la plantilla.

Esto último le recordó a Brunetti que alguien había estado con el *dottor* Nickerson al menos durante parte del tiempo que había pasado en la biblioteca, puede que la mayor parte.

—El hombre al que llaman Tertuliano, ¿tienen su solicitud?

—¿Qué tiene que ver él? —preguntó con ademán protector.

—Me gustaría hablar con él. Usted ha dicho que lleva viniendo tanto tiempo que es como si fuera de la casa; si es así, quizá haya visto algo que le pareciera inusual.

—No creo que eso sirva de mucho —insistió ella.

Brunetti se estaba cansando de hacer de poli bueno.

—*Dottoressa*, no estoy seguro de que el juez de instrucción vaya a opinar lo mismo.

—¿Qué quiere decir? —preguntó, y él notó el cambio de tono.

—Que no cabe duda de que un juez dictaría una orden para que usted me diese su nombre y cualquier otro dato que nos ayudase a localizarlo. —Antes de que ella pudiera protestar, añadió—: Esto es una biblioteca, *dottoressa*, no una consulta médica ni una iglesia. Su nombre y dirección no son datos protegidos y menos aún cuando es posible que haya sido testigo de un delito. La única manera de averiguarlo es hablar con él.

—Creo que para él eso podría ser... —empezó a decir, pero se detuvo para encontrar la palabra adecuada— difícil.

—¿Por qué? —preguntó Brunetti más afablemente.

—Ha tenido problemas.

—¿De qué tipo? —Esta vez Brunetti hizo uso de la

infinita paciencia que se necesita para hacer que alguien diga lo que es reacio a confesar.

Se fijó en cómo la mujer calculaba cuánto debía revelar.

—Es posible que en otro tiempo fuera cura o, como mínimo, seminarista.

Eso explicaría su interés por Tertuliano, pensó Brunetti.

—¿«Es posible»?

Ella lo miró confundida.

—¿Decidió dejar de ser cura o de estudiar para serlo, o lo obligaron?

—No lo sé —contestó ella—. Tampoco es que se lo haya preguntado.

—Pero se imagina lo que pasó, ¿no? —La inquietud con la que hablaba la directora le había hecho saltar las alarmas.

—Pero ¿por qué estamos hablando de él? —exigió saber ella—. Lo único que hace es venir, sentarse y leer. Eso no es ningún delito.

—No obstante, ver que alguien comete uno mientras estás sentado leyendo y no informar de ello sí lo es —dijo Brunetti forzando los límites de la verdad a su favor.

—Es un buen hombre —insistió ella.

Su amplia experiencia le dictaba que los hombres buenos no son necesariamente valientes y que tampoco suelen querer involucrarse en la vida de los demás.

Brunetti había leído alguna obra del teólogo hacía una eternidad —de él sabía que era un hombre de leyes y creía que era africano—, y recordaba que no le había caído nada simpático. Nunca se había cruzado con nadie que se opusiera al placer con tanta vehemencia como Tertuliano, que no parecía tener nada positivo que decir de la vida en general. Así que se imaginaba cómo podía ser aquel que quisiera leer su obra.

—¿Me enseña su solicitud? —pidió sin dejar que lo desviara del tema.

—¿De verdad necesita hablar con él? —preguntó ella.

—Sí.

—Se llama Aldo Franchini y vive en Castello, hacia el final de Via Garibaldi.

Brunetti sacó la libreta y escribió el nombre y las señas y miró a la mujer; le llamaba la atención que supiese dónde vivía el señor.

—¿Lo conoce mucho?

—No, no mucho —dijo ella, y fue a sentarse al otro lado de la mesa.

Señaló una silla y Brunetti se sentó con la esperanza de que se relajara el ambiente.

—Pero conozco a su hermano pequeño: iba a la escuela conmigo. Hace tres años me llamó y me dijo que su hermano mayor había vuelto a la ciudad; había perdido el trabajo porque había tenido algún problema con el director y eso suponía que no le iban a dar la carta de recomendación. Quería venir aquí a leer y el hermano me preguntó si yo se lo permitiría a pesar de que se hubiera quedado sin empleo.

—¿A qué se dedicaba?

—Daba clase de teología en una escuela privada para chicos, en Vicenza.

—¿Teología? —preguntó Brunetti.

Ella lo miró a los ojos.

—Por aquel entonces era cura. —Hablaba sobre él con mucha más certeza que antes.

—¿Y?

—Pensé que eso no era asunto mío —dijo ella, aunque sin el aire de superioridad moral que muchos no hubieran podido evitar.

—¿Qué hizo?

—Le dije que si su hermano era residente, no necesitaba la carta: simplemente tenía que venir con el carné de identidad y solicitar la tarjeta de lector.

—¿No le interesaba saber qué había hecho? —insistió Brunetti, pero ella no hizo caso de la pregunta.

—Si quiere leer, está en su derecho. Lo demás no es asunto mío.

—¿Le contó el hermano algo más sobre él?

—¿Esto forma parte de su investigación o es simple curiosidad?

—Cualquier hombre que quiera leer a Tertuliano me resulta interesante —dijo Brunetti, y sonrió ante su media verdad.

—Me dijo que su hermano era un lector muy ávido y que necesitaba un lugar donde hubiese libros. —Pareció tranquilizarse un poco—. Dijo que leer le sería de ayuda.

—¿Le preguntó por qué necesitaba ayuda? —insistió Brunetti, aunque dudaba que fuese así.

Ella sonrió por primera vez y desapareció todo el parecido con un ave: la *dottoressa* se convirtió en una mujer alta con una expresión inteligente y amable.

—Creo que a él le hubiese gustado que se lo preguntara, pero no lo hice. Me bastaba con su palabra.

—En el tiempo que lleva viniendo, ¿ha averiguado más cosas sobre él?

—No, nada. Lee a Agustín, a Jerónimo, a Máximo el Confesor... Pero como empezó por Tertuliano, lo llamamos así.

—¿Y eso?

—Los bibliotecarios somos... —empezó a decir.

Se detuvo a pensar y después siguió:

—Los bibliotecarios somos gente poco común. —Brunetti no se lo negaba—. Que cualquiera de nosotros recordase, era la primera persona que pedía la obra de Tertuliano para sentarse a leer sin más motivo. No para una investigación o para una clase universitaria, sino porque realmente le interesase el libro en sí.

La afirmación entera era un elogio implícito.

—¿Ha tenido mucho contacto con él?

—Después de un tiempo empezamos a saludarnos y de vez en cuando le preguntaba qué estaba leyendo.

—¿Y qué le parecía cuando hablaba con él?

Ella sonrió y Brunetti se dio cuenta de que en esa ocasión era para avisarlo de que no le iba a responder en serio.

—¿Se refiere a si creo que le pasa algo raro?

—Bueno, teniendo en cuenta lo que ha estado leyendo...

La *dottoressa* se echó a reír.

—Sí, hoy en día los Padres de la Iglesia nos pueden parecer un puñado de locos, pero quizá esperaba encontrar...

—¿Respuestas?

Levantó ambas manos como para protegerse del intento de ponerle palabras en la boca y dijo:

—No sé qué pueden ofrecernos los Padres de la Iglesia actualmente. Consuelo, quizá.

—¿Consolar a una religión moribunda o desde ella?

Ella recorrió el escritorio con la mirada y por último la posó en él.

—¿Lo es, verdad?

—Estadísticamente hablando, sí —respondió Brunetti.

Nunca tuvo claro qué sentimientos le producía eso, pero sospechaba que lo lamentaba.

—Pronto podrían estar todos en el paro —añadió—. Curas, monjas, obispos.

—No será tan pronto —rebatió ella.

—No, es probable que no —concedió Brunetti.

Entonces, para dejar atrás el ambiente enrarecido de la conversación, dijo:

—¿Podría dejar esos libros sobre la mesa, por favor?

—¿Qué van a hacer sus hombres? ¿Les echarán polvo negro? —quiso saber con evidente temor.

—Eso solo lo hacen en televisión. Ahora se usa un láser: se enfoca una luz sobre la página y se toma una foto. No daña el papel.

No le cabía duda de que a ella le estaba resultando difícil creerle, igual que le costaría a cualquiera que llevase toda la vida viendo a los técnicos de las películas y series aparecer con polvo negro y pinceles.

—Créame, no van a manchar el papel con nada. Si quiere, puede estar presente. Le prometo que se pondrán guantes.

—¿Cuándo vendrán?

—Deberían venir hoy mismo.

La señora Fabbiani abrió un cajón de su mesa y sacó una tarjeta. Brunetti se la guardó en el bolsillo sin mirarla, le dio las gracias y le tendió la mano.

—¿Eso es todo? —preguntó ella, y se estrecharon la mano.

—De momento, sí —dijo él, y se marchó de la biblioteca.

4

Brunetti hizo una parada de camino a la *questura* y por fin se tomó el café, aunque se lo bebió casi a regañadientes, sabiendo que era una mera táctica de dilación en lugar de algo que estuviese haciendo por placer. Al entrar en el edificio decidió ir directamente a informar al *vicequestore* de lo que había ocurrido en la biblioteca. Mientras subía las escaleras que llevaban al despacho de su superior recordó una historia, sin duda apócrifa, que una vez le habían contado sobre una actriz de cine norteamericana: ¿era Jean Harlow? De ella se contaba que siempre que le regalaban un libro por su cumpleaños ella abría el paquete y decía: «¿Un libro? Gracias, pero ya tengo uno».

Estaba seguro de que la anécdota era aplicable al *vicequestore* Giuseppe Patta.

Al entrar en el pequeño despacho que ocupaba la *signorina* Elettra, vio que la silla estaba vacía y su ordenador, compuesto y sin novia. Durante las últimas semanas se ausentaba a menudo de su mesa y el *vicequestore* Patta, que era su superior directo, o bien no se había dado cuenta o bien, lo que era mucho más probable, no se había atrevido a hacer preguntas. Como no era su secretaria, Brunetti pensó que no era asunto suyo y no dijo nada, aunque en esa ocasión la ausencia significase que quedaba expuesto al humor que pudiera tener el *vicequestore* aquel día, sin previo aviso. Pero ¿por qué tenerle miedo? Se acercó a la puerta y llamó con los nudillos.

Escuchó un «*avanti*» y entró.

El *dottor* Giuseppe Patta, lo más selecto de entre los hombres palermitanos, estaba sentado frente a su escritorio metiendo su pañuelo impecablemente doblado en el bolsillo del pecho de la chaqueta. Brunetti se alegró de ver que el pañuelo era blanco, probablemente de lino, y blanqueado hasta adquirir el tono de los huesos de dinosaurio en el Gobi, el del uniforme de un árbitro de la catedral del cricket, el del primer diente de un niño. Patta jamás se permitía las libertades del modo de vestir moderno y preferiría que lo arrastrasen por las calles antes de meterse un pañuelo de color en el bolsillo del pecho. Para algunas cosas —generalmente todo lo relacionado con la moda— Patta era un hombre de principios inquebrantables; estar en la misma estancia que él era un honor.

—*Buon giorno, vicequestore* —dijo Brunetti resistiendo al impulso de hacer una reverencia.

Patta se acabó de colocar el pañuelo y entonces prestó atención al *commissario*.

—¿Es importante? —preguntó.

—Puede que sí, *dottore* —dijo Brunetti con tono distendido—. Creo que debería enterarse antes que la prensa; estoy seguro de que se les informará de ello.

Patta no hubiese respondido con mayor ímpetu ni aunque se le hubiera prendido fuego al pañuelo.

—¿Qué ha pasado? —La expresión de ligero desagrado se había convertido en la cara del defensor de la nación.

Brunetti se acercó a la mesa y se quedó de pie detrás de una de las sillas. Se apoyó en el respaldo y dijo:

—Nos han llamado de la biblioteca Merula, para denunciar una combinación de vandalismo y robo.

—¿Cuál de los dos, vandalismo o robo? —exigió saber Patta.

—Alguien ha cortado páginas de más de veinte libros, *dottore*. Y también faltan algunos volúmenes, que probablemente han sido robados.

—¿Y eso por qué? —preguntó Patta.

Brunetti dedicó una oración silenciosa a santa Mónica, símbolo de la paciencia. También era patrona de los que recibían abusos, y en consecuencia Brunetti podía invocarla en cualquiera de los dos casos, dependiendo de si Patta estaba de un humor más o menos feroz.

—Los coleccionistas buscan tanto libros como páginas sueltas de libros antiguos; tienen cierto valor.

—¿Quién ha sido?

—Un tal doctor Joseph Nickerson los ha consultado todos. Tenía una carta de recomendación de la Universidad de Kansas y se identificó con un pasaporte estadounidense.

—¿Es válido?

—Aún no he contactado con los americanos, *vicequestore*.

Miró la hora y se dio cuenta de que ya no valía la pena intentar averiguar nada más ese día. Patta lo escrutó y dijo:

—Me parece que no ha hecho gran cosa, Brunetti.

El comisario se encomendó de nuevo a santa Mónica.

—Acabo de llegar de allí y quería contárselo antes que nada, por si tenía usted que hablar con la prensa.

—¿Por qué iba a hacer falta? —preguntó Patta, como

si le hubieran chivado que Brunetti le estaba ocultando deliberadamente algo que debería saber.

—Una de los mecenas de la biblioteca es la *contessa* Morosini-Albani. De hecho, ella donó al menos uno de los libros que han desaparecido y están preocupados por su posible reacción.

—Seguramente se llevará todo lo que les entregó. Eso es lo que haría cualquiera en su sano juicio.

Sin duda, era lo que cualquiera podía esperar de Patta, aunque Brunetti necesitaba más que la ayuda de los santos para creer que el *vicequestore* fuese a donar libros a una biblioteca.

—¿Se refería a esto con lo de la prensa? —preguntó Patta abruptamente—. ¿A que se interesarán por ella?

—Creo que cabe esa posibilidad, señor. Su familia es muy conocida en la ciudad y está claro que su hijastro ya les ha puesto la miel en la boca a los periodistas.

Mientras Patta le daba vueltas al comentario buscando el menor atisbo de crítica de la clase alta, su aspecto era fiero. Brunetti borró toda emoción de su rostro y se quedó de pie, atento, neutral, a la espera de la respuesta de su superior.

—¿Se refiere a Gianni? —quiso saber Patta.

—Sí, señor.

Brunetti lo observaba mientras Patta recorría los recodos de su memoria, que en cuanto a escándalos de cualquier tipo era elefantina, en busca de las fotos y titulares que inundaban la prensa amarilla desde hacía años. El favorito de Brunetti era: «*Gianni paga i danni*», porque habían hecho rimar el nombre con los desperfectos que debía pagar tras destrozar en un club de Lignano el equipo de sonido de un grupo de cuya música no había disfrutado. «*Nobile ignobile*» es el que publicaron después de que lo arrestaran por robar en un anticuario de Milán, y también estaba el encantador titular de la prensa británica «Conde-corado», que salió cuando lo pillaron intentando robar en una tienda de New Bond Street. Según recordaba Brunetti, en aquel entonces servía como algún tipo de agregado en la embajada italiana de Londres, así que no podían arrestarlo: todo lo que podían hacer era declararlo persona non grata y expulsarlo de Inglaterra.

Aunque Gianni no guardaba ningún tipo de relación con el robo en la biblioteca —al menos que Brunetti supiera en aquel momento—, la sola mención del apellido de la familia podía ser suficiente para llevar a cabo el milagro de san Gennaro con la prensa: una buena sacudida y la sangre volvería a fluir. El joven heredero —que ya no era joven y jamás había sido un gran hombre— había saturado la prensa de tal manera que cualquier combinación de su nombre y un delito de cualquier clase, por accidental que fuese, se podía convertir en un titular. Era de esperar que la *contessa* no quisiera ver su apellido expuesto a la mirada pública de aquel modo.

—¿Cree que...? —empezó a decir Patta.

Brunetti esperó, pero su superior dejó la pregunta inacabada.

Patta se quedó absorto y el comisario se dio cuenta del momento exacto en que el *vicequestore* recordaba que Brunetti se las había ingeniado para colarse entre la nobleza por la vía del matrimonio.

—¿La conoce? —preguntó.

—¿A la *contessa*?

—¿De quién más hemos hablado?

En lugar de corregirlo, Brunetti se limitó a comentar:

—He coincidido con ella alguna vez, pero no puedo decir que la conozca.

—¿Y quién sí?

—¿Quién la conoce?

—Sí.

—Mi esposa y mi suegra —respondió Brunetti a regañadientes.

—¿Cree que una de las dos hablaría con ella?

—¿Sobre qué?

Patta cerró los ojos y suspiró profundamente, como aquel que se ve obligado a tratar con seres de intelecto inferior.

—Sobre qué decir a la prensa, si es que llegan a enterarse de esto.

—¿Y qué debería decirle, señor?

—Que tiene la certeza de que este asunto se resolverá rápidamente.

—¿Gracias a la inteligencia y el duro trabajo de la policía local? —sugirió Brunetti.

Tal dosis de sarcasmo hizo que a Patta casi se le salieran los ojos de las cuencas, pero se limitó a decir:

—Algo así. No quiero que las instituciones públicas de la ciudad sean víctimas de la crítica.

Brunetti simplemente asintió. Los ciudadanos confían plenamente en la policía. Nadie debería criticar a las bibliotecas que permiten que les roben. Se preguntó si Patta opinaba que esa amnistía debía extenderse a todas las instituciones públicas de la ciudad. ¿De la provincia, quizá? ¿También a las del país?

—Mañana por la noche voy a cenar a casa de mi suegra, señor. Se lo mencionaré —dijo el comisario para recordar a su superior cuál de los dos se sentaba a la mesa con el *conte* y la *contessa* Orazio Falier y quién iba a vivir algún día en el *palazzo* y contemplar las fachadas de los otros *palazzi* al otro lado del Gran Canal.

Patta, que era un necio pero no tonto, se batió en retirada.

—Entonces lo dejo en sus manos, Brunetti. A ver qué le dicen los americanos.

—Sí, señor —dijo el comisario, y se apartó de la silla.

La *signorina* Elettra había regresado a su mesa, sobre la que ahora había un jarrón grande en el que estaba colocando varias docenas de tulipanes de color rojo. En el alféizar había un exceso similar de narcisos que competían por la atención de los espectadores. Pero Brunetti se decantó por la creadora de aquella exuberancia floral: aquel día llevaba un vestido de punto de color naranja y un par de zapatos tan estrechos y de tacón tan alto que tanto este como la puntera podrían provocar una herida mortal, así que no le costó demasiado esfuerzo centrarse en ella.

—¿Qué tenía que decirle hoy el *vicequestore, commissario*? —preguntó afablemente.

Brunetti esperó a que ella se sentase antes de apoyarse en el alféizar donde no había ningún jarrón.

—Me ha preguntado que de dónde han salido las flores —respondió él con seriedad.

Eran contadas las ocasiones en que Brunetti tenía el placer de sorprenderla y era obvio que acababa de conseguirlo, de modo que decidió seguir con la farsa un poco más.

—Es lunes, así que no hay mercado en Rialto y eso significa que las ha comprado en una floristería. —Puso cara muy seria y dijo—: Espero que el presupuesto de la oficina pueda cubrir el gasto.

Ella sonrió, tan radiante como las flores.

—Ah, pero yo jamás abusaría de esa cuenta, *dottore*.

—Dejó pasar un instante y añadió—: Me las han enviado.
—Los niveles de glucosa de su sonrisa subieron desmesuradamente—. ¿Y qué quería decirle el *vicequestore* de verdad?

Brunetti esperó unos segundos antes de reconocer la derrota y sonrió para mostrar su agradecimiento.

—He venido a hablarle de un robo. Bueno, unos cuantos; en la biblioteca Merula.

—¿Libros? —inquirió ella.

—Sí, y un montón de mapas y portadas que se han llevado de otros.

—Para eso podían haberlos robado enteros —repuso ella.

—¿Porque ya no valen nada? —preguntó él, sorprendido por que compartiese una opinión que él ya consideraba de la *dottoressa* Fabbiani.

—Si a un busto se le rompe la nariz, aún queda la mayor parte del rostro, ¿no? —preguntó ella.

—Si cortas un mapa de un libro —contestó él—, aún conservas todo el texto.

—Pero como objeto ya no vale nada —insistió ella.

—Habla como la bibliotecaria —dijo Brunetti.

—Eso espero —respondió ella—. Se pasan la vida trabajando con libros.

—Igual que los lectores —dijo el *commissario*.

Ella se echó a reír.

—¿Habla en serio?

—¿Sobre lo de que quitar una página no cambia el libro?

—Sí.

El comisario se ayudó con las manos para subir a la repisa y se quedó con las piernas colgando. Se observó los pies y movió uno y después el otro.

—Depende de qué se entienda por libro, ¿no cree?

—En cierto modo, sí.

—Si su objetivo es presentar un texto, entonces no importa si se arrancan los mapas.

—¿Pero? —preguntó ella.

Brunetti quería mostrarle que era capaz de ver la situación también desde el otro punto de vista.

—Pero si se trata de un objeto que capta información sobre un momento en concreto (por cómo están dibujados los mapas, por ejemplo) y representa...

De pronto se abrió la puerta del despacho de Patta y apareció él. Lanzó una mirada a Brunetti, sentado más tranquilamente que un niño en un prado lleno de flores, y luego a su secretaria, a quien había pillado confraternizando con el enemigo. Los tres ocupantes de la sala se quedaron inmóviles.

Finalmente habló Patta.

—¿Podría hablar con usted, *signorina*?

—Por supuesto, *vicequestore* —respondió ella, y tras ponerse en pie con mucha elegancia volvió a colocar la silla junto a la mesa.

Sin desperdiciar palabras con Brunetti, Patta desapareció hacia el interior de su despacho y la *signorina* Elettra lo siguió sin mirar al comisario. Se cerró la puerta.

Brunetti bajó de un salto y, al ver la hora, se dio cuenta de que ya podía marcharse a casa sin remordimientos.

5

Los hijos de Brunetti se interesaron por la historia del robo y se pusieron a pensar diferentes teorías sobre cómo lo habían llevado a cabo. El padre les dio las medidas aproximadas de las páginas y especificó que para el ladrón era fundamental que estas no se arrugasen ni se estropearan de ninguna manera. Raffi, que por Navidad había recibido un Macbook Air de parte de sus abuelos, fue a la habitación a buscarlo. Lo abrió, lo dejó a un lado y después arrancó unas cuantas páginas de la edición de la semana anterior de *L'Espresso*. Las dobló cuidadosamente, las posó sobre el teclado y cerró la tapa; finalmente, miró alrededor de la mesa buscando aprobación.

Chiara señaló las esquinas de papel que sobresalían por un lado.

—Si tuviera el de la pantalla más grande, no se vería el borde —afirmó Raffi convencido.

Sin decir nada, Chiara recorrió el pasillo hasta el despacho de Paola y volvió con el destartalado maletín de cuero que su madre llevaba una década sin utilizar pero del que se veía incapaz de deshacerse. Cogió la revista y arrancó otras tantas páginas, se las colocó sobre la mano abierta y con mucho cuidado posó encima el portátil de Raffi por el lado de la bisagra. Al cerrar la mano, las hojas quedaron pegadas a las caras inferior y superior del ordenador, sin sobresalir por arriba. Con mucho cuidado lo introdujo en la funda acolchada y cerró la cremallera antes de meterla en el maletín.

—Yo lo haría así —dijo.

Entonces, para acallar las dudas, recorrió la mesa para que todos miraran dentro del maletín, donde lo único que se podía ver era uno de los lados de un inocente portátil colocado dentro de su funda.

Brunetti se abstuvo de advertirles que los vigilantes ya debían de saberse esos trucos desde hacía mucho tiempo.

—Y los demás que estuviesen allí se te quedarían mirando sin hacer nada y aplaudirían tu destreza, ¿no? —comentó Raffi irritado porque la propuesta de su hermana era mejor que la suya.

—Si en ese momento no hay nadie más en la sala, no —dijo ella.

—Pero ¿si lo hubiese? —preguntó Brunetti.

Aún no les había hablado de los libros robados, pero tampoco quería empezar otra ronda de demostraciones.

—Dependería de lo enfrascados que estuviesen en la lectura —interrumpió Paola.

Tras décadas a su lado, Brunetti sabía que si el Apocalipsis tuviera lugar mientras Paola estaba leyendo el párrafo de *Retrato de una dama* en el que Isabel Archer se percata de la traición de Madame Merle, por mucho que lo hubiese leído ya mil veces, no se daría ni cuenta. Si había llegado a ese punto en la lectura, ya podían entrar unos secuestradores a llevárselos a todos entre gritos y pataleos que ella seguiría leyendo durante un buen rato.

Después de que Chiara mostrase una pericia que

Brunetti esperaba que no fuese a poner jamás en práctica, siguieron con los *fusilli* con atún fresco, alcaparras y cebolla que había preparado Paola. La conversación acabó yendo por otros derroteros, y no fue hasta que Paola y Brunetti estaban ya sentados en el salón bebiendo café que él se acordó de mencionar al lector eclesiástico.

—¿Tertuliano? —preguntó Paola—. ¿Ese tipo repulsivo?

—¿Te refieres al de verdad o al que va a leer a la biblioteca?

—No conozco de nada al señor que va a leer —dijo ella—. Hablo del de verdad, el del siglo... ¿tercero?

—No lo recuerdo —admitió Brunetti—, pero por ahí van los tiros.

Ella posó la tacita vacía sobre el plato, los dejó ambos en la mesita de delante del sofá, se recostó y cerró los ojos. Él sabía lo que estaba a punto de hacer y, después de décadas juntos, aún lo asombraba cada vez: lo tenía todo allí dentro, detrás de los ojos, y lo único que tenía que hacer era concentrarse un poco para rescatarlo de quién sabe dónde. Si había leído el texto, recordaba el mensaje y el significado general; pero si lo había leído con atención, recordaba el texto propiamente dicho. No obstante, era un desastre con las caras y nunca recordaba haber conocido a alguien, por mucho que se acordase la conversación que había mantenido con esa persona.

—«Tú eres la puerta del diablo. Eres tú quien desata la maldición del árbol y la primera en dar la espalda a la ley divina. Eres la que lo convenció de que el diablo no era capaz de corromper.»

Paola abrió los ojos, lo miró y le lanzó una sonrisa de tiburón.

—Si quieres más sobre mujeres, también tenemos a

mi querido amigo Agustín. —Volvió a entrar en un trance momentáneo y enseguida dijo—: «Cuánto más agradable es para dos amigos vivir juntos, que vivir con una mujer». —Regresó al presente y afirmó—: Ya va siendo hora de que todos estos tipos salgan del armario.

—Esa es una postura extrema —dijo él, aunque le había repetido esa misma frase cientos de veces y la apreciaba muchísimo por su defensa de esas posturas—. Creo que en ese pasaje habla de mantener conversaciones, de que a los hombres les resulta más fácil hablar entre ellos que con una mujer.

—Eso ya lo sé, pero siempre me ha parecido extraño que los hombres puedan decir cosas así sobre las mujeres (no sé si atreverme a llamarlo «postura extrema»), y aun así llegar a ser santos.

—Seguramente es porque también dijeron muchas otras cosas.

Ella se acurrucó junto a él en el sofá.

—También me llama la atención que se santifique a alguien por lo que ha dicho, cuando nuestros actos son mucho más importantes. Bueno, ¿qué vas a hacer? —añadió haciendo uno de esos repentinos cambios de tema que seguían sorprendiéndolo.

—Mañana llamaré a los americanos para ver si el pasaporte es auténtico. Y le pediré a la *signorina* Elettra que hable con el resto de las bibliotecas de la ciudad para ver si Nickerson les ha hecho alguna visita. También llamaré a la Universidad de Kansas para averiguar si realmente trabaja allí. E intentaré localizar a Tertuliano.

—Buena suerte. Admito que un hombre que escoge leer a Tertuliano me produce curiosidad.

—A mí también —dijo Brunetti.

Se preguntaba si tenían algo de Tertuliano en casa y si

debería llevárselo a la cama; pero como eso requeriría aparcar temporalmente *The White War*, un relato en inglés de la guerra del Alto Adige, en la que había luchado su abuelo, Brunetti resistió la leve tentación. Decidió seguir con la férrea estupidez del general Cadorna, el de las once inútiles ofensivas de Isonzo; el hombre que retomó la idea romana de ejecutar a un hombre de cada diez de todo batallón que se retirase, el general que condujo a medio millón de hombres a la muerte sin apenas motivos y sin conseguir nada a cambio. Se preguntó si a Paola le consolaría el hecho de que prácticamente todas las víctimas del salvaje comportamiento de Cadorna fueran hombres en lugar de mujeres. Seguramente no.

Al día siguiente, de camino a la *questura*, Brunetti reflexionó sobre el tema de la prensa y pensó que quizá se hubiese precipitado al mencionárselo a Patta. La *dottoressa* Fabbiani no lo iba a denunciar, eso estaba claro, y sospechaba que Sartor era lo suficientemente leal como para mantener el pico cerrado. Solamente Sartor y la *dottoressa* Fabbiani sabían lo que había ocurrido en la biblioteca y solo ella y el comisario habían visto el documento en el que figuraban los títulos de todos los libros que Nickerson había consultado. Del mismo modo, él y la directora eran los únicos que habían visto todos los libros de los que se habían arrancado páginas. A ella le convenía mantener el asunto en secreto hasta encontrar la mejor manera de informar a la *contessa*. Por su parte, Brunetti era un agente del orden, pero se imaginaba cuál podía ser la actitud de la prensa frente a un caso como aquel, y por eso no vio motivos para informarles del robo. Las autoridades ya habían sido alertadas: al carajo con la prensa.

Lo primero que hizo al llegar a la oficina fue llamar a la *dottoressa* Fabbiani, que le dijo —sin que lo cogiese por sorpresa— que el *dottor* Nickerson no había aparecido por la biblioteca esa mañana. Le agradeció la información y llamó a la embajada estadounidense en Roma. Se identificó y explicó que necesitaba verificar el pasaporte de Nickerson, pero los únicos datos que les ofreció fueron que el hombre era sospechoso de haber cometido un delito y que el pasaporte era la única identificación de que disponían. Le pasaron con otro departamento y allí tuvo que explicar de nuevo lo que necesitaba. Le pidieron que se mantuviera a la espera y finalmente consiguió hablar con un hombre que no dijo ni quién era ni a qué departamento pertenecía, pero que en cambio sí pidió que Brunetti se identificara. Cuando el comisario quiso darle el número de teléfono le contestaron que no hacía falta y que lo volverían a llamar. Veinte minutos más tarde, el secretario de un subsecretario del Ministerio de Exteriores italiano lo llamó al *telefonino*; quería saber si era él quien había llamado a los americanos. Cuando contestó que sí, el hombre le dio las gracias y colgó. Poco después recibió otra llamada de una mujer que hablaba un excelente italiano con un ligerísimo acento y que le preguntó el nombre. Él le explicó quién era y ella le informó de que el Gobierno de Estados Unidos no había expedido dicho pasaporte, y le preguntó si tenía alguna consulta más. Brunetti dijo que no, intercambiaron monosílabos educadamente y colgaron.

Aún les quedaba la foto. Nickerson —a falta de otro modo de referirse a él— había tenido tiempo para cambiar de aspecto y seguramente había salido de la ciudad, puede incluso que del país. Pero ¿qué había provocado esa partida tan repentina?

Piero Sartor había dicho que el hombre hablaba un italiano excelente, por lo que quizá no quisiera desperdiciar ese talento yendo a otro país. Además, si algo tenía Italia eran museos y bibliotecas: públicos, privados y eclesiásticos, y todos le ofrecían un campo de trabajo inabarcable, aunque Brunetti se daba cuenta de lo grotesco que era usar la palabra «trabajo» para la actividad de aquel hombre.

Cogió la fotocopia del pasaporte de Nickerson y bajó al despacho de la *signorina* Elettra, pues acababan de dar las diez y era demasiado pronto para que hubiese llegado Patta. La encontró sentada frente al ordenador, vestida con un jersey de angora de color rosa; la imagen lo obligó inmediatamente a revisar la mala opinión que tenía tanto del color como del tipo de lana.

—*Commissario*, el *vicequestore* ha expresado su preocupación por el robo de la biblioteca.

Se preguntó si el *vicequestore* también había expresado preocupación por la posibilidad de que todo el peso de las Euménides de la prensa cayera sobre sus cabezas.

—He preguntado a los americanos y resulta que el pasaporte es falso —dijo él, y dejó la fotocopia sobre la mesa de la *signorina* Elettra.

Ella observó la foto.

—Era de esperar, supongo. —Y entonces preguntó—: ¿La envío a la Interpol y a los de robos de arte en Roma para ver si lo reconocen?

—Sí —dijo, pues había bajado al despacho de la *signorina* Elettra especialmente para pedirle que lo hiciera.

—¿Sabe si el *vicequestore* ha comentado este asunto con alguien más? —quiso saber Brunetti.

—La única persona con la que habla es con el teniente Scarpa —contestó ella pronunciando «persona» como si no estuviera completamente segura de que esa nomenclatura fuese adecuada para él—. Estoy convencida de que ninguno de los dos considera que el robo de libros sea un delito grave.

—Lo que me preocupa es la prensa —dijo el comisario.

De pronto vio los tulipanes que había sobre la mesa; se dijo a sí mismo que estaría bien llevar un ramo a casa por la tarde. Estiró la mano para mover una de las flores hacia la izquierda y añadió:

—Dudo que la *contessa* esté deseando ese tipo de publicidad.

—¿Qué *contessa*? —inquirió la *signorina*, aunque sin demasiado interés.

—Morosini-Albani —respondió Brunetti sin apartar la mirada de las flores.

Ella hizo un ruido. No fue una palabra, tampoco una respiración contenida: fue simplemente un ruido. Cuando él la miró, la joven tenía la vista fija en la pantalla del ordenador y la barbilla apoyada sobre la mano izquierda. Su expresión era impasible y no apartaba los ojos del monitor, pero el color de su tez era más cercano al de su jersey que un momento antes.

—He coincidido con ella alguna vez en casa de mis suegros —dijo Brunetti como si nada y movió otro tulipán para colocarlo delante de una hoja ancha que lo estaba tapando—. Diría que es una señora muy interesante.

—Entonces, con total normalidad, preguntó—: ¿La conoce?

Ella pulsó algunas teclas con la mano derecha, sin levantar la barbilla de la izquierda.

—La vi una vez, hace años —dijo finalmente, y se volvió hacia Brunetti sin mostrar ninguna emoción—. Solía frecuentar a su hijastro.

Brunetti permaneció en silencio pese a la curiosidad que sentía, pero por fin se le ocurrió algo que decir:

—Es la principal benefactora de la biblioteca. No sé cuántos de los volúmenes que han estropeado eran suyos o si pertenecían al fondo original, pero sé que ella les entregó uno de los libros que han robado y otro al que ahora le faltan varias páginas. Ningún benefactor querría recibir una noticia como esa.

—Ah —dijo ella en un tono que pretendía mostrar muy poco interés en el asunto.

Brunetti sacó la libreta y la abrió por la página en la que había escrito los nombres que le había dado la *dottoressa* Fabbiani.

—Hay una edición de Ramusio y un Montalboddo —dijo, orgulloso de la facilidad con que los había nombrado.

La *signorina* Elettra murmuró un comentario elogioso, casi como si conociera los autores.

—¿Conoce los libros? —preguntó él.

—Me suenan los nombres —contestó ella—. A mi padre siempre le han gustado mucho los libros antiguos. Tiene unos cuantos.

—¿Los compra? —preguntó Brunetti.

Ella lo miró y soltó una carcajada espontánea que rompió de inmediato la tensión que se había acumulado en la habitación.

—¡Cualquiera diría que piensa que los ha robado! Le aseguro que hace meses que no pisa las inmediaciones de la Merula.

Brunetti sonrió aliviado: la *signorina* Elettra había recuperado el buen humor tras la extraña reacción al nombre de la *contessa*.

—¿Usted sabe mucho sobre libros antiguos?

—No, la verdad es que no. Me ha enseñado algunos y me ha explicado qué los hace especiales, pero en ese sentido lo decepciono bastante.

—¿Por qué?

—Oh, porque me parecen bonitos: el papel, la encuadernación y todo eso, pero no me emocionan. —Parecía estar sinceramente disgustada consigo misma—. Me pasa con el coleccionismo en general: no lo comprendo. O al menos no me hace sentir nada. —Antes de que él pudiera preguntarle algo, ella continuó—. No es que no me gusten las cosas bonitas. Es que no soy lo suficientemente disciplinada como para coleccionar cosas de forma sistemática y eso es lo que creo que hace un coleccionista de verdad: conseguir un ejemplar de cada cosa que tenga cabida en la clasificación que les interesa, ya sean sellos alemanes con imágenes de flores o chapas de Coca-Cola o... cualquier cosa que se les ocurra coleccionar.

—Y si uno no es entusiasta... —empezó él.

—Entonces no hay manera de llegar a sentir esa emoción. O de comprenderla siquiera.

Parecía estar de mejor humor, así que le hizo una pregunta:

—¿Y qué me dice de la *contessa*?

De repente la expresión de la *signorina* Elettra se volvió austera.

—¿Qué quiere que le diga? —preguntó ella.

De pronto se vio haciendo piruetas mentales, buscando una tarea que justificase haber sacado a colación a la *contessa* otra vez.

—Me gustaría que averiguara todo lo que pudiera sobre la donación que hizo a la biblioteca. Fue hace unos diez años. Cualquier cosa que sepamos sobre las condiciones que se establecieron podría ser útil —añadió al recordar que Patta había insinuado que la *contessa* quizá pidiera que le devolvieran los libros.

La *signorina* Elettra escribió lo que él le pedía con la cabeza agachada sobre la libreta.

—Busque también a ver qué averigua sobre Aldo Franchini, por favor. Vive hacia el final de Via Garibaldi. Hasta hace unos tres años daba clases en un colegio privado de Vicenza. Tiene un hermano más joven que iba a clase con la directora de la biblioteca; ella debe de tener unos cincuenta y tantos años, así que no es un hombre joven.

—¿Algo más?

—Podría también investigar si tiene relación con la Iglesia.

Ella lo miró y sonrió.

—*Commissario*, estamos en Italia.

—¿Y eso qué quiere decir?

—Que lo queramos o no, todos tenemos alguna relación con la Iglesia.

—Claro —dijo sin que se le ocurriera otra cosa mejor—. Pero en este caso la relación es mayor: fue cura.

—Ah.

—Exactamente —dijo él, y dio media vuelta para marcharse.

Pero después de que diese el primer paso la *signorina* Elettra preguntó:

—¿Qué quiere saber sobre el tal Aldo Franchini?

—No lo sé —confesó Brunetti—. Al parecer estaba en la sala mientras los robos tenían lugar o, al menos, algunos de ellos.

Ella enarcó las cejas.

—Y lleva tres años leyendo a los Padres de la Iglesia.

—¿Y cuánto tiempo pasa allí leyendo?

—No lo he preguntado, pero debe de ser bastante. La

bibliotecaria ha dicho que prácticamente lo ven como un mueble más de la sala, como si formara parte del personal.

—¿Y él no les dijo nada de lo que estaba pasando? —preguntó ella.

—Puede que no se diese cuenta.

—¿Tanto lo embelesa la lectura de los Padres de la Iglesia?

—A lo mejor se sentaba mirando en otra dirección.

Ella dejó pasar unos segundos antes de hacer la siguiente pregunta.

—¿Es posible que tuviera algún interés o estuviese involucrado en lo que estaba ocurriendo?

Brunetti se encogió de hombros.

—Si lo estuviera, eso le hubiera costado tres años leyendo a los Padres de la Iglesia, o al menos fingiendo que leía su obra. No sé qué es peor. ¿Cree que alguien podría ser tan avaricioso como para llegar a ese extremo? —Antes de que ella pudiera contestar, añadió—: Además, si ha estado leyendo esos libros en serio, no me parece muy probable que participase en algo así.

Ella se quedó mirando la pantalla en blanco del ordenador durante tanto tiempo que él pensó que no tenía nada que responder. No obstante, finalmente habló:

—¿De verdad cree eso?

—Sí.

—Increíble —dijo ella—. Yo también —añadió sin el menor intento de disimular su propia sorpresa.

6

Brunetti se detuvo junto a las escaleras y reflexionó sobre lo extraño que le resultaba que ambos diesen por sentado que alguien capaz de ocupar su tiempo en leer a los Padres de la Iglesia era indudablemente honesto. Había una multitud de motivos para que Franchini hubiera escogido esos textos: interés por la retórica, por la historia, por las minucias de las discrepancias teológicas. Sin embargo, tanto Brunetti como la *signorina* Elettra habían llegado automáticamente a la conclusión de que él no podía tener nada que ver con los robos, ni siquiera ser consciente de ellos. Como si el manto de la supuesta santidad de los Padres cubriese también a Franchini.

Brunetti no recordaba cuál era la opinión que el Tertuliano cuyo lugar estaba en la historia de la religión tenía sobre el robo, pero difícilmente lo hubieran nombrado Padre de la Iglesia a menos que lo hubiese condenado; si no, ¿de qué servía el mandamiento? ¿Cuál era, el cuarto? Como él bien sabía, la codicia aparecía más tarde en la lista y era un pecado que Brunetti siempre había considerado un paso previo al crimen de pensamiento de Orwell. De hecho, codiciar a la mujer o los bienes de otra persona le parecía algo bastante normal. Si no fuese así, ¿por qué otro motivo iban a ser famosas las estrellas de cine? ¿Por qué construir el palacio real de Caserta o comprar un Maserati o un Rolls-Royce si no es porque llevamos la envidia y la codicia en los huesos?

De regreso en su escritorio y sin reparar en la diferencia horaria, decidió llamar al Departamento de Historia de la Universidad de Kansas. Marcó el número, y después de cinco tonos escuchó una grabación que decía que el horario de oficina era de nueve de la mañana a cuatro de la tarde de lunes a viernes y que por favor pulsase la tecla uno si quería dejar un mensaje. Hablando en inglés explicó que era un comisario de la policía italiana y que le gustaría que alguien lo llamase o le enviase un correo electrónico; dejó su nombre, número de teléfono y dirección de correo electrónico, le dio las gracias al contestador y colgó. Volvió a mirar la hora y con los dedos de ambas manos calculó que en Kansas aún era de noche; así que, sin confiar demasiado en la combinación de tecnología y oficinistas, encendió el ordenador y buscó el correo del departamento de historia. Esta vez ofreció una explicación más detallada de lo que necesitaba, dio el nombre de Nickerson, cuál era su área de investigación y el nombre de la persona que firmaba la carta, y rogó que le contestasen con la menor brevedad posible, pues el asunto guardaba relación con un delito.

Leyó rápidamente sus correos electrónicos sin encontrar nada que le resultase de interés, por mucho que los remitentes exigieran con verdadera insistencia una respuesta. Abrió el archivo de las personas que habían sido arrestadas en los últimos diez años, escribió «Piero Sartor» y finalmente añadió «Pietro» por si acaso. La búsqueda arrojó dos resultados: uno con Piero y otro con Pietro, pero a priori quedaban excluidos por la edad, pues el primero tenía más de sesenta años y el segundo tan solo quince. Simplemente para descartarla, introdujo el nombre de Patrizia Fabbiani, pero ella no aparecía en la lista.

Mientras hacía esto, se le ocurrió que quizá valiese la pena duplicar la búsqueda de la *signorina* Elettra e introdujo el nombre de Aldo Franchini.

—Vaya, vaya, vaya —musitó al ver que el sistema le mostraba un hombre de sesenta y un años que vivía en Castello, 333.

Brunetti no sabía dónde quedaba exactamente la dirección, pero sí que estaba un poco más allá de un extremo de Via Garibaldi.

Aunque no lo habían arrestado, Franchini había sido interrogado seis meses antes en relación con un incidente que había tenido lugar en Viale Garibaldi y había acabado con él en el hospital con la nariz rota. Un hombre que estaba sentado en un banco del *viale* le había dicho a la policía que había visto a Franchini sentado en otro con un libro en la mano y que algo más tarde estuvo hablando con una mujer que estaba de pie delante de él. Un rato después el hombre escuchó hablar a alguien que parecía enfadado y al volverse hacia allí vio que en lugar de la mujer había un hombre. Sin ningún tipo de aviso, este último levantó a Franchini por las solapas, le dio un puñetazo y se largó.

Sobre el asaltante, que fue rápidamente identificado y arrestado y que tenía un historial de pequeños robos y receptación, pesaba una orden de alejamiento de al menos cien metros de su anterior compañera, a quien había amenazado de muerte. Se trataba de la mujer que había estado hablando con la víctima.

Sin embargo, Franchini se negó a denunciar al asaltante y dijo que cuando este le había chillado, él se levantó y que creía que entonces se había tropezado y se había roto la nariz él solo.

Brunetti introdujo el nombre del asaltante, Roberto Durà, en el programa, que le mostró una retahíla de arrestos por delitos leves, ninguno de los cuales había culminado en una condena penitenciaria. Normalmente se debía a que no había testigos ni suficientes pruebas, o a que el juez de instrucción había decidido que el caso no merecía la pena. No obstante, descubrió que Durà estaba cumpliendo una pena en Treviso: lo habían condenado tres meses antes a cuatro años por robo a mano armada y agresión.

Miró por la ventana y vio un cielo azul salpicado de nubes que se dirigían trabajosamente hacia el este: el día perfecto para ir paseando hasta Castello y echar un vistazo. De camino paró en la oficina de los agentes, donde encontró al *ispettore* Vianello inclinado sobre su mesa, hablando por el *telefonino* con una mano sobre el auricular para que no se escapara el sonido de su voz. Brunetti se detuvo a unos metros de él y le observó la cara: tenía los ojos cerrados y la expresión resuelta, como si estuviera alentando a un caballo a ganar, ganar y ganar.

Como no tenía intención de distraer al inspector de su llamada, se dirigió a la mesa que Alvise compartía con Riverre y encontró al primero escribiendo algo en una libreta. No obstante, cuando se le acercó se dio cuenta de que era un crucigrama. Quizá un sudoku fuese demasiado complicado para él. Estaba tan concentrado en las palabras que no se percató de que se le aproximaba su superior, y cuando este pronunció su nombre, el agente dio un respingo y se puso en pie inmediatamente.

—*Sì, signore* —dijo, y se arriesgó a sacarse un ojo al llevarse a la frente la mano con la que sostenía el lápiz.

—Cuando Vianello haya terminado, ¿puede pedirle que baje al bar?

—Faltaría más, *commissario* —dijo el agente, e hizo una anotación en uno de los márgenes del libro de crucigramas con el lápiz.

—Gracias —dijo Brunetti, que, por una vez, no supo de qué charlar con Alvise.

Salió de la *questura* y fue hasta el bar recorriendo la *riva*. Bambola, el senegalés que prácticamente se encargaba del bar, sonrió al verlo entrar y le sirvió un vino blanco. Brunetti lo cogió, se hizo con la edición del día de *Il Gazzettino* y se dirigió al reservado que había al otro extremo; estaba cerca de la ventana y así podría ver llegar a Vianello. Abrió el periódico por la página central. Miró la hora despreocupadamente y de pronto se dio cuenta del hambre que tenía, así que sacó el *telefonino* con la intención de enviar un mensaje de texto a Paola para disculparse por haberse olvidado de la comida, pero finalmente se armó de valor y decidió llamarla.

Ella refunfuñó, pero como no llegó a decirle qué platos se iba a perder, supo que tampoco le importaba tanto. Prometió volver a casa a la hora de cenar, le dijo que la quería sin medida y colgó. Después llamó a Bambola y le pidió que escogiera tres *tramezzini* para él y otros tres para Vianello, y volvió a concentrarse en el diario.

Se encontró con el habitual caos político, pero Brunetti se había prometido no leer nada relacionado con política hasta que acabase el año o hasta el advenimiento del Rey Filósofo. Veinte hectáreas de tierras de cultivo en Campania cubiertas de residuos tóxicos; el artículo iba acompañado de fotos de las ovejas envenenadas, las últimas que habían pastado allí. Una visita sorpresa de la Guardia di Finanza a las oficinas del partido que llevaba gobernando en Lombardía la última década; eso contaba como política, ¿no? Un premio honorario al civismo a un hombre que quería construir una torre de fealdad sin par en el lado de tierra firme y que se podría ver desde cualquier punto de Venecia. Brunetti suspiró y volvió a la primera página, donde encontró la foto del antiguo director del proyecto MOSE —en el que ya se habían invertido siete mil millones de euros para impedir la entrada del agua de la laguna— arrestado y acusado de corrupción. Sonrió, alzó la copa para brindar burlonamente y dio un largo trago.

—Alvise me ha dicho que querías que bajase —dijo Vianello mientras posaba el plato de *tramezzini* y una copa de vino blanco en la mesa.

Antes de que Brunetti pudiera decir algo, el inspector regresó a la barra y volvió con un par de vasos de agua. Los dejó sobre la mesa y se sentó en el banco junto al comisario.

Brunetti le dio las gracias con un gesto de la cabeza y cogió uno de los sándwiches.

—¿Habéis conseguido alguna huella de los libros? —preguntó, pues aún no había tenido oportunidad de hablar con Vianello.

Vianello tomó un sorbo de vino y dijo:

—Hasta hoy nunca había visto a dos técnicos de laboratorio estar tan cerca de echarse a llorar.

—¿Por qué? —preguntó Brunetti, y le dio un bocado al *tramezzino* de huevo y atún.

—¿A que nunca te has parado a pensar en cuánta gente toca un libro de una biblioteca? —Vianello posó la copa y cogió uno de los sándwiches.

—*Oddio* —dijo Brunetti—. Claro, habrá decenas de huellas. ¿Le han tomado las huellas al personal? —preguntó después de beber un trago de vino.

—Sí —dijo Vianello—. No paraban de decir que en un libro habría cientos de huellas, pero cuando les dijimos que teníamos que tomar las suyas colaboraron.

—¿Incluso la *direttrice*? —quiso saber Brunetti.

—Ella fue quien les dijo que lo hicieran. Hasta se prestó voluntaria para que tomásemos las suyas.

Brunetti se sorprendió: según su experiencia, las personas en puestos de autoridad raramente cooperaban con lo que pedía la policía.

—Bien hecho —dijo, y cogió otro sándwich—. Voy a ir a Castello a hablar con alguien: he pensado que a lo mejor querías venir.

El emparedado era de jamón y alcachofas, y le daba la sensación de que Bambola le había retirado parte de la mayonesa antes de servírselo.

—Sí, claro —dijo Vianello, y cogió el segundo *tramezzino*—. ¿Qué quieres que sea: poli bueno o poli malo?

Brunetti respondió con una sonrisa.

—Hoy no hace falta. Los dos podemos ser el bueno porque solo quiero charlar un poco con un tipo.

—¿Con quién?

Brunetti le contó detalles del robo y del maltrato que habían sufrido los libros; le habló sobre la conexión entre el caso y los Morosini-Albani y por último describió la extraña reacción de la *signorina* Elettra a la mera mención del apellido.

—¿Conocía al hijastro? —preguntó Vianello—. ¿Cómo se llamaba...? ¿Giovanni, Gianni?

Cogió otro sándwich y bebió un trago de vino. A Brunetti le volvió a picar la curiosidad: Gianni Morosini-Albani era el estandarte de la erradicación de la nobleza: deshonesto y conocido consumidor de sustancias ilegales. ¿Él y la *signorina* Elettra? La mera idea le daba escalofríos. Decidió no dar voz al deseo de defenderla y se limitó a decir:

—No parecía contenta de oír su nombre.

—Tiene fama de ser encantador —dijo Vianello sin convicción alguna.

—Sí, muchos parecen encantados con él —sugirió Brunetti.

Vianello desestimó la afirmación con un gesto de la mano.

—Hace años estuve presente en una de las veces que lo arrestaron. Bueno, iban a llevarlo a prestar declaración. Hará quince años, más o menos. Fue muy amable; invitó al *commissario* a entrar y nos ofreció café. Éramos tres, contando al *commissario*.

El recuerdo no hizo sonreír a Vianello.

—¿Quién era?

—Battistella.

Brunetti se acordaba de él: un tonto que se las había arreglado para prejubilarse y al que aún se le veía en los bares hablando sobre su ilustre carrera como defensor de la justicia. Según se había percatado Brunetti, a lo largo de los años la gente había dejado de invitarlo, pero él parecía estar siempre dispuesto a pagar las consumiciones de cualquiera que lo escuchase, cosa que le garantizaba un público constante.

—Battistella estaba encantado, claro. El hijo de una de las familias más ricas de la ciudad, el heredero, el favorito de las mujeres, invitándonos a café —dijo Vianello con tono más crítico—. Creo que se enamoró del chico. Si hubiese querido escapar, Battistella le habría ayudado; a lo mejor hasta le hubiese ofrecido su arma y le hubiera sujetado la puerta.

—¿Por qué tenía que ir a declarar?

—Por un asunto relacionado con una joven, una chica de quince o dieciséis años. La noche anterior habían tenido que llevarla al hospital por algún tipo de sobredosis. Había estado en una fiesta en el *palazzo*, pero sin que nadie supiera cómo apareció en la entrada trasera del hospital.

Vianello calló un momento y después se corrigió a sí mismo con tono aún menos afable:

—Bueno, la chica dijo que estuvo en el *palazzo*, pero ninguno de los que ella nombró recordaba haberla visto.

—¿Y qué le pasó?

Vianello se encogió de hombros con gran elocuencia.

—Era menor, así que se archivó el expediente. Pasó la noche en el hospital, a la mañana siguiente le dieron el alta, y cuando les contó a sus padres lo que había pasado ellos nos llamaron.

—Y por eso fuisteis a su casa.

Brunetti tendió la mano buscando otro sándwich, pero vio que Vianello ya se había comido el último, de modo que se terminó el vino.

—El juez lo llamó y le dijo que quería hablar con él sobre lo que había pasado en la fiesta, pero Gianni le dijo que estaba muy ocupado y que a qué fiesta se refería exactamente.

Vianello cogió la copa, pero estaba vacía, de manera que volvió a posarla en la mesa.

—Después de la llamada, el juez nos mandó a buscarlo a su casa para «mantener una conversación».

—Para ver si recordaba la fiesta. O a la chica.

—Exacto.

—¿Era Rotili? —preguntó Brunetti.

Se trataba de un juez particularmente agresivo cuyos éxitos le habían valido un traslado a una pequeña población en la frontera entre el Piamonte y Francia, donde podía ocuparse del robo de esquís y animales de granja.

—Sí, y seguramente fue el motivo de su traslado. El padre de Gianni seguía vivo por aquel entonces y se negaba a creer que su hijo pudiese hacer algo malo.

Brunetti no había conocido al difunto conde, pero estaba al tanto de su reputación y de hasta dónde llegaban los tentáculos de su poder.

—¿Así que Rotili tuvo que irse al Piamonte?

—Eso es —respondió Vianello sin más comentarios.

—¿Cómo acabó la historia de la chica? —quiso saber Brunetti.

—Nombró a cuatro personas que, según ella, estuvieron allí. Todos le sacaban al menos quince años —dijo Vianello—. Incluyendo a Gianni.

—Y ninguno de ellos había estado en una fiesta y jamás había visto a la joven, ¿no?

—Exacto. Y entre esas personas había dos mujeres —dijo Vianello sin poder ocultar su indignación.

—¿Cómo se comportó Battistella?

—Yo solo era un policía de a pie y tuve suficiente cabeza como para cerrar el pico, pero fue horrible.

—¿Qué quieres decir?

—Que vi cómo un hombre de unos cincuenta años besaba el suelo que pisaba otro que no tenía más de treinta, que ya había sido arrestado al menos en otros dos países y cuyo consumo de drogas era conocido. Y que además seguramente también las suministraba a sus amigos ricos.

Vianello se inclinó hacia delante y se apoyó sobre los antebrazos.

—Le dijo a Battistella que, para haberse inventado una historia como aquella, la muchacha debía de estar loca. Y al ver que Battistella le daba la razón, Morosini dijo que seguramente era por las drogas, y que la forma en que la gente trataba a sus hijos, sin disciplina alguna, le parecía una vergüenza.

Vianello se echó atrás de pronto y se recostó en el banco, como si quisiera alejarse de sus propias palabras o de los recuerdos de aquella escena.

—Para entonces yo ya tenía algo de experiencia, así que no dije nada. Simplemente me quedé allí plantado, con cara de idiota.

—A Battistella siempre le gustó eso. —Brunetti se permitió el comentario—. ¿Qué pasó?

—Que yo recuerde hacía buen día, de modo que los dos fueron paseando juntos hasta la *questura*, charlando como dos viejos amigos. —Hizo una pequeña pausa—. Me sorprende que no fuesen de la mano.

—¿Y qué hiciste tú?

—Ah, yo fui unos pasos por detrás y dejé bien claro que no me interesaba lo que se dijeran. Iba con el otro tipo, ahora no me acuerdo ni de quién era, y de vez en cuando comentábamos algo. Pero en realidad estaba escuchando la conversación. Costaba no oírles, la verdad —añadió un momento después.

—¿De qué hablaban?

—De chicas.

—Ah —dijo Brunetti—. Bueno, al menos la distancia entre su *palazzo* y la *questura* no es tanta, así que no tuviste que soportar demasiado suplicio.

—Como decía mi abuela: la misericordia de Dios está en todas partes.

Vianello se puso en pie y emprendieron el camino hacia Castello.

7

Fueron caminando porque no hacerlo hubiera significado desperdiciar la alegría que provocaba aquel sol aún pálido. Hacía suficiente calor como para animar a los capullos de las glicinias a desperezarse como aquellos atletas que arrastran los pies por el suelo justo antes de un *sprint* o un salto. Brunetti se dio cuenta de que, como cada año, estas ya habían empezado a cubrir la pared de ladrillos del jardín que había al otro lado del canal por el que pasaban en aquel instante. En cuestión de una semana, las panículas ya colgarían suspendidas sobre el agua, y tras otra más tendría lugar una explosión de color violeta de la noche a la mañana. El perfume se precipitaría sobre los transeúntes y todo el que sintiese su olor se preguntaría qué diantres hacía yendo a trabajar en un día como aquel y por qué tenía que pasarse las horas mirando la pantalla de un ordenador cuando afuera el ciclo de la vida estaba volviendo a empezar.

Para Brunetti la primavera era una sucesión de recuerdos olfativos: las lilas del patio junto a la Madonna dell'Orto; los lirios de los valles que traía el viejo de Mazzorbo, que todos los años vendía en las escaleras de la iglesia de los Jesuitas y que llevaba tantos haciéndolo que nadie se atrevía a cuestionar su derecho a montar el tenderete; el olor a sudor fresco de cuerpos limpios y apiñados en los concurridos *vaporetti*, un agradable cambio en comparación con el olor viejo de los abrigos y chaquetas que durante el invierno se habían llevado mucho y lavado poco.

Si la vida tenía un olor, este tenía que estar presente en la primavera. A veces Brunetti quería darle un bocado al aire para degustarlo, a sabiendas de que era imposible. Aún era demasiado pronto para pedir un *spritz*, pero las ganas de tomar ponche de ron habían desaparecido con el último día frío.

Tal como le ocurría desde niño, especialmente hacia el final del periodo de hibernación emocional, sintió una oleada de buena voluntad hacia todo en general, hacia todos y todo lo que lo rodeaba. Todo lo que veía le alegraba la vista, y la posibilidad de dar un paseo era embriagadora. Como si fuera un perro pastor, guio a Vianello por el camino que él quería tomar y pasó por delante de San Antonin hasta llegar a la *riva*. Delante quedaba San Giorgio, la imagen de la basílica filtrada por un bosque de mástiles de los barcos que había amarrados junto al muro que tenían enfrente.

—En días así me dan ganas de dejarlo —dijo Vianello para sorpresa de Brunetti.

—¿Dejar qué?

—El trabajo. De ser policía.

Brunetti se esforzó por permanecer en calma.

—¿Y qué harías?

Ambos sabían que hubiese sido más rápido ir por el interior cruzando el puente frente al Arsenale y después subir por el Tana, pero la oportunidad de contemplar aquella extensión de agua los atrajo y no fueron capaces de resistir la fuerte tentación.

Vianello se quedó mirando la iglesia y el suave oleaje

del *bacino* unos instantes y después giró hacia la izquierda, hacia Via Garibaldi.

—No lo sé. No hay nada que me interese tanto como mi trabajo; me gusta lo que hago. El problema son estos días, el inicio de la primavera, que me hacen querer salir corriendo y escaparme con un campamento de gitanos o enrolarme en un buque de carga o navegar hasta... no sé. Hasta Tahití.

—¿Te importa si me apunto? —preguntó Brunetti.

Vianello se echó a reír y soltó un resoplido: la idea de que cualquiera de los dos se armase del valor suficiente como para hacer algo así le parecía imposible.

—Estaría bien, ¿verdad? —preguntó, pues daba por sentado que Brunetti no se iba a atrever.

—Yo me escapé una vez —dijo Brunetti.

Vianello se detuvo y se volvió hacia él.

—¿Te escapaste? ¿Adónde fuiste?

—Tenía doce años —contó Brunetti mientras daba paso a la memoria—. Mi padre se había quedado sin trabajo y no teníamos mucho dinero, así que decidí buscar un trabajo para llevar algo a casa.

Negó con la cabeza pensando en la juventud, o puede que en su buena voluntad o en el arrebato de locura.

—¿Qué hiciste?

—Cogí el *vaporetto* a Sant'Erasmo y me puse a preguntar a los granjeros que encontraba en los campos si podían darme trabajo; entonces había muchísimos más que ahora.

Se quedó esperando, pero Vianello echó a andar y tuvo que apresurarse para alcanzarlo.

—No quería un trabajo de verdad: solo que me dieran tareas para ese día. Debía de ser fin de semana, porque no recuerdo haberme saltado ninguna clase.

Se colocó en el lado de fuera, más cerca del agua.

—Al final uno me dijo que de acuerdo, me dio la azada con la que estaba cavando y ordenó que terminara de remover la tierra de aquel campo.

El paso de Brunetti se hizo más lento, y Vianello acompasó el suyo para no dejar los recuerdos atrás.

—Empecé cavando demasiado rápido y hondo, así que me hizo parar y me enseñó cómo hacerlo: tenía que meter la azada en diagonal, empujarla con el pie, darle la vuelta a la tierra y romper el terrón con las puntas. Y volver a empezar.

Vianello asintió.

—¿Qué pasó? —preguntó al ver que Brunetti se había quedado callado.

—Pues que me dejó trabajar el resto de la tarde. Cuando acabé tenía ampollas ensangrentadas en ambas manos, pero seguí cavando porque quería llevarle algo a mi madre.

—¿Y le llevaste algo?

—Sí. Cuando hube removido la tierra de medio campo me dijo que ya era suficiente y me dio algo de dinero.

—¿Te acuerdas de cuánto te dio?

—Creo que doscientas liras, no me acuerdo, pero entonces me pareció una fortuna.

—Ya me lo imagino.

—Me llevó a su casa a que me lavase la cara y las manos y a que me limpiara los zapatos. Su mujer me preparó un bocadillo y un vaso de leche; creo que la habían ordeñado ese mismo día, era sensacional. No he vuelto a tomar nada igual desde aquel día. Después de eso volví al *imbarcadero* y regresé en el *vaporetto*.

—¿Qué dijo tu madre?

Brunetti se detuvo otra vez.

—Subí a casa y la encontré en la cocina. Cuando me vio me preguntó si me había divertido jugando con mis amigos; supongo que era fin de semana.

—¿Y qué más?

—Puse el dinero en la mesa y le dije que era para ella. Que lo había ganado trabajando. Entonces me vio las manos y les dio la vuelta. Me puso yodo y me las vendó.

—Pero ¿qué dijo?

—Me dio las gracias y dijo que estaba orgullosa de mí, pero que esperaba que me hubiese dado cuenta de lo duro que era trabajar cuando solamente se podían usar las manos. —Brunetti sonrió, aunque en el recuerdo no cabía el humor—. Al principio no lo entendí, pero luego fui consciente de que había trabajado todo el día; bueno, me pareció todo el día, pero supongo que fueron unas horas nada más. Y lo único que había conseguido era suficiente dinero para comprar un poco de pasta y arroz, y a lo mejor un pedazo de queso también. Así que comprendí lo que me quiso decir: si trabajas con las manos, solamente consigues lo suficiente para comer. Y supe que no quería vivir así.

—Y lo has conseguido —comentó Vianello con una amplia sonrisa.

Le dio una palmadita en el brazo y se dirigió hacia Via Garibaldi. Al entrar en la amplia calle, Brunetti vio pruebas de su teoría de que aquella era una de las pocas zonas de la ciudad donde aún vivían principalmente venecianos. Bastaba con fijarse en las chaquetas de punto de color beis y en las permanentes hechas con sumo cuidado para darse cuenta de que las señoras eran venecianas; y en que la mayoría de los hombres extranjeros no se acercaban tanto unos a otros para hablar. Era evidente que los chicos que iban en monopatín no estaban allí de vacaciones. Las tiendas también eran una prueba, pues vendían artículos que se iban a utilizar en la misma ciudad; no eran cosas para envolver y llevar a casa como si fueran un trofeo del que presumir, como un ciervo abatido y atado al techo de un coche. Allí la gente compraba utensilios para la cocina, papel higiénico y camisetas de algodón blanco que usaban debajo de la ropa.

Al final de la calle, donde se juntaba con el canal del Rio di Sant'Anna, se situaron a mano izquierda y Brunetti tomó el mando, pues había buscado el número en *Calli, Campielli e Canali*. La dirección estaba en Campo Ruga y se dejó conducir por la memoria: izquierda, derecha, llegar hasta el canal y cruzar el puente; después girar la primera a la izquierda y allí estaba el *campo*.

La casa estaba al otro lado, en un edificio estrecho que pedía a gritos un enlucido nuevo y, a juzgar por su aspecto, también había que cambiar el canalón. El goteo de agua se había comido el yeso de la fachada por tres lugares diferentes y ya había empezado el postre devorando también los ladrillos de debajo. El sol había aclarado la pintura de los postigos de los apartamentos del primer y el segundo piso hasta dejarlo de un verde cansado y polvoriento. Cualquier veneciano sería capaz de leer los desconchones grises de la pared igual que un arqueólogo observa los estratos para determinar cuánto tiempo ha pasado desde el último asentamiento humano: los apartamentos llevaban décadas vacíos.

Los postigos del tercero estaban abiertos, aunque no parecían en mejor estado que los de los pisos inferiores. Junto a la puerta había tres timbres, pero solamente el último tenía un nombre: «Franchini». Brunetti llamó, esperó y volvió a llamar, esta vez prestando atención a cualquier ruido que pudiese escaparse desde arriba. Nada.

Miró alrededor del *campo* y este le pareció curiosamente inhóspito. Había dos árboles desnudos que no parecían interesados en la llegada de la primavera, y dos bancos tan descoloridos y sucios como los postigos de la casa. Aunque era un *campo* muy amplio, no había niños jugando; podía ser a causa del canal que discurría a un lado, que no tenía muro.

No se había molestado en escribir el número de teléfono, pero Vianello, que tenía un *smartphone*, buscó el listín en internet, encontró el número y llamó. Desde abajo alcanzaron a oír el sonido agudo y metálico del teléfono. Sonó diez veces y paró. Ambos se alejaron del edificio para mirar las ventanas, como si esperasen que un hombre las abriese de par en par y cantara su primera aria. Pero no pasó nada.

—¿El bar? —preguntó Vianello señalando con un gesto de la barbilla un local que se encontraba al otro extremo del *campo*.

Por dentro, aquel sitio parecía tan maltrecho como los postigos del apartamento; todo, incluyendo al camarero, estaba viejo y desvencijado, y necesitaba que le pasaran una bayeta. El camarero los miró cuando entraron y les ofreció lo que seguramente él consideraba una sonrisa de bienvenida.

—*Sì, signori?*

Brunetti pidió dos cafés, se los sirvieron inmediatamente y estaban sorprendentemente buenos. Desde el otro extremo del bar les llegó un sonido metálico y repentino; al volverse hacia allí vieron a un hombre sentado en una banqueta frente a una máquina tragaperras: el ruido era el de las monedas que estaban cayendo en la bandeja. Cogió una cuantas y empezó a meterlas en la máquina y a pulsar los botones de colores llamativos. Un zumbido, unos clics y muchas luces. Pero nada.

—¿Conoce a Aldo Franchini? —preguntó Vianello en veneciano al camarero al tiempo que ladeaba la cabeza en dirección al edificio.

Antes de responder, el camarero miró al hombre de la tragaperras.

—¿El que era cura? —preguntó al final.

—Ah, no sé —respondió Vianello—. Solo sé que estudió teología.

El camarero se lo pensó el tiempo que consideró necesario.

—Sí, es verdad —dijo finalmente—. Qué raro, ¿no?

—¿Que estudiase teología o que se saliese de cura? —preguntó Vianello.

—Tampoco importa mucho, ¿no? —dijo el camarero. Hablaba sin hacer ningún reproche. En cualquier caso, su tono era tan empático como si le acabasen de decir que alguien había dedicado parte de su vida a aprender a reparar máquinas de escribir y faxes.

Vianello pidió un vaso de agua.

—¿Sabe algo más sobre él? —preguntó Brunetti.

—¿Son policías?

—Sí.

—¿Tiene que ver con el tipo que le partió la nariz? ¿Lo han soltado ya?

—No —le aseguró Brunetti—. Aún le quedan unos años de condena.

—Bien. Deberían quedárselo una buena temporada.

—¿Lo conoce?

—Íbamos juntos al colegio. Era un chaval malo y violento, y se ha convertido en un hombre malo y violento.

—¿Y eso por qué? —inquirió Brunetti.

El camarero se encogió de hombros.

—Nació así.

Ladeó la cabeza para señalar al hombre que estaba metiendo monedas en la tragaperras.

—Es como él: no lo puede evitar; es como una enfermedad.

Entonces, como si la simplicidad de su propia respuesta lo decepcionase, preguntó:

—¿Por qué buscan a Franchini?

Al ver que ninguno de los dos contestaba, señaló de nuevo al hombre de la máquina con un gesto de la cabeza y siguió hablando.

—¿Cree que...?

Pero una cascada de monedas ahogó el final de la pregunta. Brunetti no estaba seguro de qué había dicho y, al parecer, Vianello tampoco se había enterado.

—Nos gustaría hablar con él. Podría haber visto algo que nos interesa, así que queremos hacerle unas preguntas, nada más.

—Sí, ya he oído eso en boca de la policía —dijo el camarero con preocupación.

—Solamente queremos hablar con él —repitió Brunetti—. No ha hecho nada malo, simplemente estaba presente cuando alguien lo hizo.

El camarero empezó una frase, pero calló casi de inmediato. Brunetti sonrió y lo instó a hablar.

—Dígalo.

—Esa distinción no suele importarle mucho a la policía —se arriesgó a decir.

Vianello miró a Brunetti y dejó que contestara él.

—En esta ocasión solo buscamos información.

Brunetti era consciente de que el hombre estaba batallando con su propia curiosidad.

—Lo vi ayer por la mañana, cuando vino a tomar café. Pero no lo he vuelto a ver.

—¿Suele venir a menudo?

—Sí, bastante.

Brunetti se volvió al oír una irrupción de ruido que venía del fondo del bar. El hombre de la tragaperras estaba aporreando la máquina.

—Ya basta, Luca —gritó el camarero, y el ruido paró.

Miró a Brunetti y Vianello y dijo:

—¿Lo ven? Ya se lo he dicho: es una enfermedad.

El comisario pensó que lo decía en broma, pero al parecer hablaba en serio.

—No deberían permitírselo. Pueden gastárselo todo como si nada —dijo con verdadera indignación.

Brunetti esperó a que Vianello hiciera la pregunta correspondiente, pero el inspector no dijo nada, de modo que el *commissario* sacó una tarjeta de la cartera, escribió su número de *telefonino* y se la entregó al camarero.

—Cuando vuelva, ¿me haría el favor de darle esto y pedirle que me llame?

Sacó dos euros del bolsillo y los dejó en la barra. Mientras se daban media vuelta para salir del local, escucharon una ráfaga de obscenidades que venía del hombre de la tragaperras, pero la puerta se cerró y la cortó.

8

Decidieron regresar a pie hasta la *questura*, pero el camino de vuelta fue mucho menos placentero. La calidez del día se había desvanecido mientras estaban en el bar. Brunetti podría haber enviado a un policía de uniforme a buscar a Franchini, pero se había rendido al impulso de estar en el exterior en movimiento y así había malgastado dos horas. Bueno, quizá eso no fuese del todo cierto: había tenido una agradable conversación con Vianello, había recordado ciertos episodios de la juventud y una fuente neutral había confirmado su creencia de que algunas personas simplemente nacían siendo malas. En conjunto, ese par de horas había sido más productivo que si hubiese pasado la tarde en su despacho leyendo archivos.

Reafirmó esta última idea al pasar el resto de la tarde haciendo precisamente eso: leyendo transcripciones de interrogatorios, normativas sobre el correcto tratamiento de mujeres sospechosas por parte de agentes varones y un nuevo formulario de tres páginas que debían utilizar las víctimas de accidentes de trabajo. El único respiro se lo proporcionó el ordenador cuando le llegó un correo electrónico del Departamento de Historia de la Universidad de Kansas que decía que en la facultad no había nadie llamado Joseph Nickerson y que la universidad no ofrecía la asignatura de historia del comercio marítimo y mediterráneo. Del mismo modo, el rector de la universidad, cuyo nombre aparecía en la carta a la que el señor Brunetti hacía referencia, tampoco había firmado dicho documento.

El comisario estaba preparado para esto; lo que le habría sorprendido sería que el doctor Nickerson hubiese resultado ser una persona real. Marcó el número de la *signorina* Elettra para ver si había averiguado algo, pero el teléfono sonó sin que nadie contestase. A pesar de que no eran más de las seis y media, su ausencia le dio pie para irse a casa.

Cuando cerró la puerta, oyó a Paola llamarlo con urgencia desde la parte de atrás del apartamento. En el momento en que entró en su dormitorio, los últimos resquicios de luz desaparecían por el oeste y enmarcaban la silueta de su esposa, que estaba retorcida hacia un lado, como presa de un fuerte dolor o frenesí. Tenía un brazo alrededor del cuello y el codo apuntándolo a él; del otro brazo solamente se adivinaba la mitad. En aquel instante se le pasó por la cabeza que podía estar sufriendo el ataque de una enfermedad fulminante, una hernia discal, una apoplejía; se le acercó con el corazón en un puño al tiempo que ella se daba la vuelta. Fue entonces cuando vio que tenía ambas manos aferradas a la cremallera del vestido.

—Ayúdame, Guido. Se me ha enganchado.

Tardó unos segundos en reaccionar como un buen marido, alcanzar la cremallera, apartarle las manos y agachar la cabeza para descubrir un diminuto fragmento de tela gris atrapado entre los dientes. Sujetó la tela por la parte de arriba e intentó mover la cremallera, primero hacia arriba y después hacia abajo. Después de unos cuantos tirones, consiguió liberar la tela y subir la cremallera hasta el cuello.

—Ya está —dijo, y le besó el pelo sin confesar que aún no había recuperado el aliento del susto.

—Gracias. ¿Qué te vas a poner esta noche?

Unos años antes se le ocurrió decir que iba a ir con el mismo traje que había llevado a trabajar ese día y Paola lo miró cómo si hubiese sugerido que lo primero que debía hacer al sentarse a la mesa era hacerle una proposición indecente a su madre. Desde entonces, y para evitar que lo mirase como si fuera un joven sin instrucción y poco ducho en las falsas sutilezas de la vida, siempre escogía el traje que pensaba que ella iba a considerar el más adecuado.

—El gris oscuro.

—¿El que Giulio mandó hacer para ti? —preguntó ella.

El tono que usó sugería que prefería no dar voz a la opinión que tenía de su viejo amigo Giulio. Fueron juntos a la escuela desde que a Giulio lo enviaron a vivir con una tía veneciana durante los seis años que su padre estuvo a la sombra. A pesar de que era napolitano, a Brunetti le cayó bien al instante: ingenioso, trabajador, sediento de conocimientos y placer y, como Brunetti, hijo de un hombre cuyo comportamiento muchos no aprobaban.

También como Brunetti, Giulio estudió Derecho penal, aunque él había decidido aplicar sus conocimientos a la defensa de los criminales en lugar de a arrestarlos y, por sorprendente que pudiese parecer, esto no había afectado a su amistad. Los amigos y conocidos de Giulio —por no hablar de su extensísima y bien conectada familia— rodearon a Brunetti de un halo protector durante los años que trabajó en Nápoles, algo que le agradecía tanto como intentaba pasar por alto.

Unos meses antes, Brunetti había regresado a Nápoles para interrogar a un testigo, y en su primera noche en la ciudad quedó para cenar con su amigo. En los cinco años que habían transcurrido desde la última vez que se habían visto, el pelo de Giulio se había vuelto completamente blanco, igual que el bigote que tenía bajo aquella larga nariz de pirata. Como su tez aceitunada había conseguido resistir los intentos del tiempo por envejecerla, el contraste con el pelo cano le hacía parecer aún más joven.

Brunetti empezó la conversación de forma precipitada, con un cumplido por el traje que llevaba: gris marengo con una raya negra prácticamente invisible. Giulio sacó una libreta y una pluma del bolsillo interior de la chaqueta, escribió un nombre y un número de teléfono, arrancó la página y se la pasó.

—Ve a ver a Gino: te hará uno en un día.

Brunetti frunció el ceño y Giulio tomó otro bocado de su gallo de San Pedro. El dueño del restaurante les había asegurado que lo habían pescado aquella misma mañana. De pronto, Giulio posó el tenedor y cogió uno de los teléfonos que tenía junto al plato; escribió un mensaje, miró a su amigo con una amplia sonrisa de satisfacción y volvió a concentrarse en lo que realmente importaba en aquel momento: la cena.

Hablaron, como siempre hacían, de sus respectivas familias y, respondiendo a su vieja costumbre, evitaron asuntos de actualidad o de política. Sus hijos habían crecido y sus progenitores se habían hecho viejos, habían enfermado y habían muerto. El mundo que existía más allá del círculo familiar no contaba como tema de conversación. El hijo mayor de Giulio había dejado la escuela de negocios Bocconi para montar un grupo de rock, y la hija, que tenía dieciocho años, tenía un novio que no le convenía.

—Intento ser buen padre —dijo Giulio—. Quiero que sean felices y vivan bien. Pero veo hacia dónde se encaminan y no puedo hacer nada para remediarlo. Lo único que quiero es que estén a salvo.

Brunetti reconocía en las palabras de su amigo lo que él mismo deseaba para su familia.

—¿Qué pasa con su no...? —empezó a decir Brunetti, pero lo interrumpió la llegada de un señor bajo y calvo que se acercó a la mesa y saludó a Giulio.

Este se puso en pie, le estrechó la mano y le agradeció que hubiera acudido fuera de su horario de trabajo; al menos eso creía Brunetti que decía, ya que ambos hablaban en napolitano y, a juzgar por lo poco que estaba entendiendo, podría haber sido *swahili*.

Unos instantes después, el hombre se volvió hacia Brunetti, que le ofreció la mano. El hombre lo recorrió de arriba abajo con la mirada y después lo rodeó. El comisario, desconcertado, se quedó clavado en el sitio como hacía normalmente a la menor señal de amenaza.

Hablando en un italiano salpicado aquí y allá del sonido «sh», de ges que sustituían a las ces y de sílabas finales recortadas como cañones de escopeta, el hombre le dijo que no se preocupase, que solamente quería verle la espalda. Se apoyó en la mesa con una mano y posó una rodilla en el suelo, y entonces Brunetti se dio cuenta de que aquel hombre debía de ser Gino, sospecha que confirmó cuando este le cogió el dobladillo de la pernera derecha y tiró de ella con fuerza.

Asintiendo y hablando entre dientes, Gino se puso en

pie, ofreció su mano para que Brunetti se la estrechara primero y Giulio después, y dijo que estaría listo a mediodía del día siguiente.

—Pero... no puedo —dijo Brunetti.

—Lo puedes pagar —dijo Giulio con una sonrisa—. Estate en paz con tu conciencia. Gino te cobrará precio de coste y te prometo que yo no le pagaré nada extra.

Miró al sastre, que sonrió, asintió y levantó ambas manos como si quisiera apartar de sí la mera idea. Antes de que Brunetti pudiera abrir la boca, Giulio dijo:

—Si no aceptas, será una deshonra para mí.

Gino se convirtió en el rostro de la propia tragedia.

—¿De acuerdo? —preguntó Giulio.

Aunque era abogado, Giulio jamás mentía; al menos no a sus amigos. Brunetti asintió y al día siguiente fue a ver a Gino, de ahí «el traje que Giulio mandó hacer para ti».

Paola se dio media vuelta y abrió un cajón a la caza de un pañuelo que ponerse sobre los hombros. En la calle iba a llevar chaqueta, pero una vez estuviesen en la casa no había manera de saber cómo se iba a comportar la calefacción de un edificio de ochocientos años de antigüedad.

Brunetti se quitó el traje que llevaba y lo colgó en el armario; se puso una camisa limpia, cogió de la percha el pantalón del otro traje —el de Giulio— y se lo puso. Escogió una corbata roja, ¿por qué no? Y al meter los brazos en las mangas de la chaqueta lo invadió una gozosa sensación. Se la colocó sujetándola por las solapas y movió los hombros hasta que le quedó perfecta. Entonces se miró en el espejo de cuerpo entero. Le había costado más de ochocientos euros: solamente Dios sabía lo que debían de pagar los clientes de Gino. El sastre no le dio recibo y Brunetti tampoco se lo pidió.

—Estoy en paz con mi conciencia —dijo para sí, y sonrió.

Tan solo tardaron un ratito en llegar a pie al *palazzo* y durante el camino no se cruzaron con nadie que pareciese tener prisa: la primavera estaba echando raíces en el subconsciente de la gente, forzándola a recordar el placer y el relax del final de un día de trabajo. Al final de las escaleras que había en el patio, un joven les abrió la puerta, le cogió la chaqueta a Paola y les comunicó que el conde y la condesa estaban en el salón pequeño.

Paola lo llevó por los pasillos que, según sabía Brunetti, un día serían suyos. Se concedió la licencia de pensar en cuántas personas eran necesarias para mantener el *palazzo*: ¿cómo se mantenía limpio un sitio como aquel? Nunca había conseguido contar todas las habitaciones y tampoco se permitía el lujo de preguntárselo a Paola. ¿Veinte? Debían de ser más, sin duda. ¿Y la calefacción? Por no hablar del nuevo impuesto sobre la vivienda. Seguramente no podrían mantenerlo solo con su sueldo, y Brunetti temía llegar a verse un día trabajando para mantener una casa en lugar de para mantener a su familia.

En cuanto entraron en el salón, sus reflexiones se desvanecieron. El *conte* Orazio Falier estaba de pie junto a la ventana mirando hacia el Palazzo Malipiero Cappello, mientras que la *contessa* Donatella estaba sentada en el sofá con una copa de *prosecco* en la mano. Brunetti sabía que era *prosecco* porque el *conte* había atacado los vinos franceses afirmando que no dejaría entrar ni una botella en la casa. Además, las viñas que tenía en Friuli producían uno de los mejores de la región y Brunetti tenía que admitir que su *prosecco* era mejor que muchos de los champanes que había probado.

Unos años antes, el *conte* había sufrido un leve ataque

al corazón y desde entonces siempre recibía a su yerno con dos besos en lugar de un formal apretón de manos. Su carácter también había perdido aspereza en otros aspectos: era más afectuoso e indulgente con sus nietos, se mostraba menos dado a reírse de lo que él llamaba las cruzadas de Brunetti y el apego con que trataba a la *contessa* era aún más evidente.

—Ah, *bambini miei* —dijo al verlos, para sorpresa de Brunetti.

¿Quería decir eso que después de más de dos décadas estaba preparado para aceptarlo como si fuera su propio hijo o no era nada más que una fórmula de afecto?

—Espero que no os importe que cenemos solos —añadió el *conte* mientras se dirigía a ellos con los brazos extendidos.

Posó las manos primero sobre los hombros de Paola y acercarla a sí para besarla y luego sobre Brunetti. Los llevó hasta su esposa y ambos se agacharon para darle sendos besos.

Paola se dejó caer en el sofá junto a su madre, se quitó los zapatos y recogió las piernas.

—Si me hubieseis dicho que íbamos a estar solos, no me habría puesto este vestido. Aunque hubiese obligado a Guido a llevar ese traje igualmente —añadió señalándolo—. ¿A que es bonito?

El suegro lo miró con aprobación.

—¿Te lo hicieron aquí?

Brunetti se preguntó qué era lo que le había dado la pista al *conte* de que el traje estaba hecho a medida y no lo había comprado en ninguna tienda. Era uno de esos poderes masónicos que tenían los hombres como él; eso y una mano izquierda que le permitía hablar con el cartero y con su abogado con la misma corrección y sin ofender por ser ni demasiado formal ni todo lo contrario. Quizá era el resultado de ochocientos años de buenos modales.

—Los dos estáis guapísimos —dijo la *contessa* con su italiano sin acento.

Había vivido en Venecia prácticamente toda la vida, pero no había permitido que el habla de la ciudad penetrase en la suya. Pronunciaba todas las eles y no se refería a su hija diciendo «*la* Paola». Sus frases no ondulaban al ritmo de ninguna cadencia.

—El traje es perfecto, Guido. Espero que tu superior te vea con él algún día.

El *conte* estaba a su lado con dos copas de *prosecco*.

—Es del año pasado —dijo al pasarles las copas—. ¿Qué os parece?

Brunetti dio un sorbo y le pareció delicioso, pero dejó que Paola, que conocía la jerga, fuese la que emitiera el juicio. Mientras ella lo probaba y le daba vueltas en la boca, él observó a sus suegros. El *conte* tenía el rostro surcado por más arrugas y el pelo más blanco, y a pesar de que Brunetti se daba cuenta de que ya no era tan alto como antes, su postura seguía igual de erguida. La *contessa* parecía igual que siempre, aunque el rubio de su pelo empezaba a dar señales de estar volviéndose blanco. Años atrás había tenido la sensatez de declararse enemiga del sol y, a resultas, su rostro no tenía manchas ni arrugas. Al hablar, Paola interrumpió sus pensamientos.

—Aún es joven y la sensación al final de la lengua es algo áspera, pero el año que viene estará perfecto. —Miró a Brunetti y añadió—: Así que el año que viene tendremos que venir más a menudo.

Después de eso, se echó a un lado y le dio una palmadita a su madre en el muslo antes de ponerse a comentar el último éxito académico de Chiara.

El *conte* se acercó de nuevo a la ventana y Brunetti, que nunca se cansaba de las vistas, lo siguió. Mientras miraba el agua a pie de calle, el *conte* dijo:

—Cuando era niño solía nadar ahí. —Y bebió un trago del vino.

—Yo también, pero no aquí. En Castello —dijo Brunetti.

Entonces, después de imaginar el estado del agua, añadió:

—Qué idea tan horrible, ¿verdad? Me refiero a bañarse ahora.

—Muchas cosas se han convertido en horribles en esta ciudad —dijo el *conte*, y señaló con la copa uno de los *palazzi* del otro lado del Gran Canal—. El tercer piso del Palazzo Benelli es un hostal. El compañero brasileño del heredero se ocupa de la gestión y eso le da lo suficiente para cubrir su hábito de cocaína.

Se inclinó hacia delante y señaló en dirección al canal, en su misma *riva*.

—El señor que vive dos casas más allá hizo que sus amigos lo nombrasen inspector de la Comisión de Bellas Artes y ahora ofrece servicios de consultoría para los permisos de restauración.

—¿Consultoría?

—Así lo llaman. Un inglés conocido suyo quería vaciar por completo el *piano nobile* de un *palazzo* cerca de Rialto, pero para eso necesitaba derribar una pared que tenía frescos del siglo XVI. Contrató sus servicios de consultoría y obtuvo el permiso.

—¿Cómo es posible? —preguntó Brunetti por pura curiosidad y sin la menor intención de dedicarse a algo así profesionalmente.

—Los frescos estaban ocultos por una pared falsa y

seguramente llevaban así varios siglos. No los descubrieron hasta que los obreros empezaron a tirar la pared que los tapaba, por eso su existencia no llegó a registrarse nunca. Los obreros eran todos moldavos y no les importaba mucho lo que se hiciese. De modo que se le consultó y derribaron la pared.

—Es veneciano, ¿verdad? —preguntó Brunetti sin necesidad alguna.

Sabía de quién estaba hablando el conde y había oído otras historias sobre permisos de obra y cómo conseguirlos, pero su lado más perverso necesitaba la confirmación.

—Son todos venecianos —respondió el *conte*, pronunciando la palabra como si hubiese dicho «pedófilo» o «necrófilo»—. Los hombres que deciden que los cruceros pueden seguir haciendo temblar la ciudad como un flan y contaminarla más que Beijing, y los que insisten en que el MOSE funcionará y que hay que ver cuánto más podemos sacar del proyecto, y los hombres que gestionan el único *casinò* del planeta que pierde dinero.

Brunetti llevaba años escuchando —y diciendo— exactamente esas cosas, y en ese momento repitió lo mismo que a menudo se preguntaba:

—¿Qué vas a hacer al respecto?

El *conte* lo miró con verdadero afecto.

—Me alegro muchísimo de que por fin podamos hablar de tú a tú, Guido. —Bebió un sorbo de vino y posó la copa—. Lo único que puedo hacer es lo que llevo haciendo los últimos cinco años.

—¿Y qué es?

—Sacar mi dinero del país. Invertir en países que tengan futuro, invertir en países donde la ley cuente para algo.

Se quedó callado, y con eso invitaba a Brunetti a preguntar.

—¿Qué países son esos?

—Los del norte. Y Estados Unidos, Australia.

—Pero China no.

El *conte* hizo una mueca.

—Donde la ley cuente, Guido. No quiero ir de la sartén a las brasas. No quiero salir de un país en el que la ley es para tirarse de los pelos y el sistema político es corrupto para ir a parar a otro donde simplemente la ley brilla por su ausencia y el sistema está aún más corrompido.

Brunetti recorrió el globo mentalmente en busca de algún otro lugar donde prevaleciese el sistema legal y donde el dinero de su suegro —lo que a él verdaderamente le preocupaba— estuviese a salvo. Mientras buscaba un lugar seguro en aquella bola de color verde, azul y beis suspendida en el espacio, Brunetti cayó en la cuenta de que las personas solían estar a salvo en los mismos países donde el dinero también lo estaba. Sin embargo, dudó un momento: ¿era posible que en los últimos años se hubiese contagiado del capitalismo del *conte* y lo hubiese entendido todo al revés? Quizá en realidad el dinero estuviese seguro allí donde las personas vivían con seguridad.

En una conversación como aquella, debía andarse con pies de plomo. ¿Podía preguntarle de cuánto dinero se trataba? ¿Podía preguntarle si estaba invirtiendo en compañías con sede en otros países o si, por lo contrario, iba a trasladar las suyas? La Guardia di Finanza se ocupaba de asuntos como aquel y comprobaba que no hubiese irregularidades, aunque en la madeja de leyes italianas siempre había la manera de encontrar anomalías de un tipo u otro. «Haz las leyes para tus amigos, pero impónselas a tus enemigos.» ¿Cuántas veces en la vida le habían explicado ese principio de supervivencia?

—Espero que tus planes tengan mucho éxito —apuntó sin que se le ocurriese nada mejor que decir.

—Gracias —dijo el *conte*.

Sonrió y asintió, reconociendo el derecho que tenía Brunetti a no entrar en una discusión en aquel ámbito.

—¿Y tú? ¿En qué estás trabajando?

No era necesario que Brunetti le pidiera al *conte* que no repitiese nada de lo que le iba a contarle: su suegro no había llegado a ser quien era en el país siendo un bocazas.

—Nos llamaron de la biblioteca Merula, a causa de un robo. Alguien que estaba consultando el fondo para una investigación ha cortado páginas de libros. Y hay otros volúmenes que han desaparecido.

—¿Cómo entró? —preguntó el *conte*—. ¿No comprueban los datos de la gente ni miran las solicitudes? Eso si les piden que las rellenen, claro —añadió después de una breve pausa cargada de paciencia fingida.

—Sí, rellenó la solicitud; pero usaba un pasaporte falso y una carta de recomendación falsificada de una universidad de Estados Unidos.

—¿Nadie se dio cuenta de que eran documentos falsos?

Brunetti se encogió de hombros.

—Creyeron que formaba parte de la comunidad académica.

El comentario fue recibido por una carcajada burlona de Paola, que al parecer había desviado la atención de su madre lo suficiente como para pillar al vuelo parte de su conversación.

—Comunidad académica... —repitió—. Me da la risa.

—Cariño, te enviamos a estudiar a todas esas escuelas

famosas y mira cómo hablas ahora de tus colegas —dijo la *contessa* gentilmente—. ¿No podrías ser un poco más amable?

Paola se inclinó hacia el costado y echó el brazo alrededor de los hombros de su madre. Le dio un beso en la mejilla y luego otro.

—*Mamma*, eres la única persona del planeta que considera que la chusma con la que estoy en la facultad son académicos.

—No olvides que tú estudiaste allí y que tú misma eres una académica, por favor —dijo su madre, aún sin asomo de reproche.

—*Mamma*, por favor —le suplicó Paola.

Pero antes de poder decir nada más, el joven que los había recibido al llegar apareció a la entrada del salón y les comunicó que la cena estaba lista. Brunetti le ofreció la mano a la *contessa*; ella le dio la suya, ligera como una pluma, y se puso en pie sin esfuerzo alguno. Paola se levantó con mucha menos elegancia, se calzó y tomó a su padre del brazo, mientras que Brunetti acompañaba a su suegra hasta el comedor pequeño.

—Siempre me preocupo cuando oigo a Paola hablar tan mal de sus compañeros —dijo la madre cuando entraban.

—Yo he conocido a algunos de ellos —se limitó a decir Brunetti.

Ella lo miró brevemente y sonrió.

—Es una mujer muy impetuosa.

—¿Tu hija? —dijo Brunetti fingiendo estar sorprendido.

—Bueno, Guido, creo que a veces tú mismo la provocas.

—Sospecho que ni siquiera necesita provocación —respondió sin más.

Se sentaron alrededor de la mesa: Brunetti frente a Paola, con la *contessa* a la izquierda y el *conte* a la derecha. Una joven llegó con una enorme bandeja de cerámica que dejó en el centro de la mesa; el entrante de marisco era tan abundante que podría haber saciado el apetito de todos los comensales, del personal de la cocina y seguramente también de los de los *palazzi* vecinos.

La conversación era la típica de una familia: hijos, parientes, amigos comunes, enfermedades —cada vez más abundantes a medida que pasaban los años—; luego pasaron al estado del mundo y todos acordaron que la situación era nefasta.

Más tarde, mientras la chica del servicio retiraba los platos donde habían servido *gnochi di patate con ragù*, Paola preguntó:

—¿Le has contado a papá lo de la biblioteca?

—Sí —respondió el *conte*—. Veo que empieza a pasar aquí también.

Se encogió de hombros y bebió un trago de agua. A ninguno le pareció oportuno mencionar la biblioteca Girolamini de Nápoles, una de las más insignes del país, cuyo director, que ya estaba en prisión, la había sometido a un auténtico expolio. Dado que se creía que el catálogo, tal y como estaba tras el incidente, había sido alterado, no había manera posible de saber qué era lo que había desaparecido. Se estimaba que la cifra era del orden de dos mil a cuatro mil volúmenes, algunos de los cuales habían aparecido en Múnich, en Tokio, en las tiendas de respetados tratantes de libros y en las bibliotecas de políticos que, por supuesto, se mostraron atónitos por que esos volúmenes estuvieran presentes en su colección. «¿En mi biblioteca?» Se decía que se habían visto coches saliendo visiblemente cargados del patio de la biblioteca, crujiendo bajo el peso de todo el papel que transportaban. ¿Quién sabe cuántos libros llegaron a desvanecerse? Manuscritos, incunables, todos desaparecidos, esfumados, evaporados.

—Tengo amigos a los que les han robado en sus propias bibliotecas —dijo el *conte* interrumpiendo su ensoñación personal.

—¿Te importaría...? —dijo Brunetti, pero se arrepintió inmediatamente de haber abierto la boca.

El *conte* lo miró y sonrió.

—Creo que preferirían que no conozcas sus nombres, Guido.

Claro, claro: nadie quería que las autoridades supiesen qué tenían en casa. ¿Qué pasaría si al Gobierno se le ocurría (o cuando se le ocurriese) sacarse de la manga un impuesto sobre las posesiones privadas? Si eran capaces de volver a poner en vigor el impuesto sobre la vivienda o viviendas, ¿qué les impedía cobrar por lo que había dentro?

—¿No lo denunciaron? —quiso saber Brunetti.

La sonrisa del *conte* fue de indulgencia, pero no se molestó en contestar.

—Por lo menos yo conseguí que parase el que lo estaba haciendo en la universidad —presumió una Paola muy satisfecha consigo misma.

Nadie hizo ningún comentario al respecto. Como ninguno quería postre, habían pasado directamente al café y estaban expectantes por ver qué les traían en respuesta a la petición del *conte* de tomar «*una grappina*».

Para romper el silencio en que permanecían desde el último comentario de Paola, Brunetti se dirigió a su suegra y dijo:

—La *contessa* Morosini-Albani es una de los mecenas

de la Merula, así que habrá que hablarle de los robos. ¿Cómo crees que reaccionará?

—¿Elisabetta es mecenas? —repitió la *contessa*—. Sensacional.

—¿Y eso?

—A veces Elisabetta es tan tacaña que cualquiera pensaría que nació aquí.

Brunetti se maravilló de que el padre de Paola dejara suelta a su esposa entre sus amigos venecianos. Su suegra continuó hablando en un tono más meditabundo y triste.

—Está tan loca por que la acepten en sociedad que quizá ser benefactora de algo sea el precio que está dispuesta a pagar.

—Si ha estado aquí contigo —dijo Brunetti señalando un retrato de Moroni de uno de los antepasados del *conte*—, entonces ya está aceptada, ¿no?

—Oh, bueno, ella viene porque es una de mis amigas más antiguas —dijo la *contessa* con una cálida sonrisa—. Pero la mayoría de la gente no la invita.

—Pero tú sí.

—Por supuesto que sí. Se portó muy bien conmigo cuando estábamos en la escuela. Es dos años mayor que yo y me protegía, de modo que ahora yo intento hacer lo mismo por ella, donde y cuando me es posible.

Se quedó pensando un momento, dejó la taza de café a un lado y prosiguió:

—No me había parado a pensarlo, pero la situación es parecida: yo era una extraña en aquel lugar y las chicas mayores, las más ricas, se portaban muy mal conmigo. En cuanto Elisabetta y yo nos hicimos amigas me aceptaron: al fin y al cabo, por mucho que la familia estuviese en bancarrota y el *palazzo* tan deteriorado, ella era la hija de un príncipe.

—Pues no parece que aquí haya ocurrido lo mismo —interrumpió Paola.

—Ya conoces a Elisabetta —dijo la *contessa*—. No tiene pelos en la lengua, juzga a las personas y, en general, no es de trato fácil. Y además, esa desgracia de hijastros...

Paola asintió.

—¿Desgracia para ellos, para ella o para los demás? —preguntó Brunetti al acordarse de la reacción de la *signorina* Elettra.

—Para todos, diría yo —respondió el *conte*.

La *contessa* no fue capaz de ocultar su asombro.

—¿Conoces a los hijastros?

—He tratado con Gianni por negocios —respondió—. Y he conocido a sus dos hermanas. Intentaron recuperar un dinero.

—¿Tuyo?

—De una inversión en una de mis empresas que hizo él a nombre de ellas.

—¿Qué pasó? —interrumpió Paola—. ¿Qué empresa?

—Oh, algo pequeño. Un parque eólico en los Países Bajos. Tampoco estamos hablando de mucho dinero.

—¿De cuánto? —inquirió Brunetti; tenía curiosidad por saber qué cantidad no era «mucho dinero».

—Oh, pues medio millón de euros, puede que un poco más. Ahora mismo no me acuerdo. Fue hace unos seis años.

—¿Qué pasó? —preguntó Paola.

—La empresa estaba muy bien gestionada, pero Gianni decidió salirse antes de lo esperado, y cuando vino a verme las acciones habían bajado más o menos a la mitad. Dijo que necesitaba el dinero, así que al principio intentó que se lo prestase, pero me negué. Entonces me ofreció venderme las acciones.

El *conte* miró a su esposa, pero la llegada de la *grappa* le evitó tener que seguir contando la historia.

Cogió la copita y abrió la boca para emitir su juicio, pero lo interrumpió la *contessa*.

—¿Qué te ofreció?

Brunetti, que no se había atrevido a hacer esa misma pregunta, estaba deseando conocer la respuesta. El *conte* brindó con su esposa y bebió un traguito; dejó la copita y ladeó la cabeza, como reconociendo que no le quedaba más opción que responder a su pregunta.

—Dijo que aceptaría un precio inferior por las acciones, siempre y cuando yo le hiciese un recibo para enseñárselo a sus hermanas con un precio aún más bajo. Me ofreció la diferencia en metálico. Las acciones pertenecían a los tres, pero él era el administrador y ellas no entendían el mundo de los negocios. —Entonces, con mucha elocuencia, añadió—: Confiaban en él. Al menos entonces.

—¿Y qué hiciste? —preguntó Paola.

—Rechazar su oferta. Le dije que era libre de vender las acciones como le viniera en gana, pero que a mí no me interesaba. —El *conte* dio otro sorbo y continuó hablando con creciente irritación—. Insistió mucho y tuve que ser muy cortante con él. Al final se marchó. —Después de unos instantes, prosiguió—: Las hermanas vinieron a verme un mes más tarde y me exigieron una compensación por su pérdida. —Suspiró—. Porque Gianni les había dicho que yo lo había engañado. A él y a todos.

—No me lo habías contado, Orazio —interrumpió la *contessa*.

—Querida, Elisabetta es tu amiga: no quería que te molestases.

—¿Y qué les dijiste? —preguntó visiblemente afectada por lo que el *conte* acababa de decir.

—Les dije que iban a tener que pedirle a su abogado que hablase con el mío y que él ya les explicaría lo que había pasado.

—¿Les contaste la faena que Gianni había intentado hacerles?

—No creo que eso hubiese sido lo correcto, querida. Se trata de su hermano.

—¿Y lo hicieron? ¿Os llamó su abogado?

—Sí, Arturo les explicó la venta.

—¿Les dijo lo que había intentado hacer Gianni?

—Ni siquiera se lo comenté a Arturo —dijo el *conte*, y se acabó la *grappa*.

—¿Qué va a ser de Gianni? —preguntó la *contessa*.

El *conte* se encogió de hombros y se levantó.

—No tengo ni idea. Lo único que sé es que no es tan listo como se cree y que es incapaz de dominar sus propios impulsos, de la clase que sean. Así que, haga lo que haga, siempre va a fracasar.

9

Regresaron su casa caminando de la mano, deseo que les había provocado la llegada de la primavera o quizá la permanente admiración de Paola por el traje de Brunetti.

—Yo siempre la he considerado un dragón agradable —comentó Brunetti, seguro de que Paola entendería qué quería decir.

—¿A Elisabetta? —Más que hacer una pregunta, buscaba una confirmación.

—Obviamente, no hablo de tu madre.

Después de reflexionar unos instantes, Paola dijo:

—Sí, sé a qué te refieres. Lo es y no lo es.

—Las veces que la he visto en casa de tus padres no sacaba humo ni fuego por la nariz, pero nunca parece importarle si cae bien a los demás o no. Y desde luego no duda en expresar sus opiniones.

—Cuando está con nosotros sabe que está entre gente que la aprecia.

—¿Incluyéndome a mí? —preguntó Brunetti.

Paola se giró para mirarlo a la cara, sorprendida.

—Claro que sí. Como eres uno más, no finge ser lo que no es.

—¿Y qué es?

—Inteligente, independiente, impaciente, solitaria.

Brunetti, que había observado por sí mismo las tres primeras cualidades de la lista, nunca había caído en la cuarta.

—¿Por qué crees que dio ese dinero a la biblioteca?

—Estoy de acuerdo con mi madre: es el precio que cree que debe pagar para ser aceptada en sociedad.

—No pareces convencida de que lo vaya a conseguir.

—Conozco a esa gente, Guido. Por Dios, soy una de ellos. No lo olvides. Ella tiene un buen árbol genealógico por parte de padre y de madre que se remonta mucho más atrás que los títulos de las familias nobles de aquí. Pero es siciliana y no es una *principessa* por mucho que su padre fuera príncipe, así que nunca la dejarán entrar en el círculo. No del todo.

—¿Aunque se haya casado con un veneciano?

—Quizá ese sea el motivo —respondió Paola para su sorpresa.

—¿Te das cuenta de que todo esto es una verdadera locura? —preguntó Brunetti sin matices en la voz.

—Desde que tenía seis años, pero eso no lo cambia en lo más mínimo.

Paola se detuvo sobre el puente que lleva a San Polo y se apoyó en el muro.

—Ojalá dejara el tema por imposible, pero creo que no es capaz. Lo lleva demasiado metido en la sangre desde hace demasiado tiempo, y es el único mundo que conoce. Es el mundo en el que quiere que la acepten.

—¿Crees que hablaría conmigo? —preguntó Brunetti.

—¿Elisabetta?

—Sí.

—Imagino que sí. Ya te lo he dicho: te considera uno

de los nuestros. Además, le caes bien. —Y luego, a fuerza de costumbre, añadió justo mientras metía la llave en la cerradura de la puerta de casa—: Al menos eso creo.

A la mañana siguiente, Brunetti esperó hasta las diez y media antes de usar el número que le había dado Paola para llamar a la *contessa*. Antes de eso le dio tiempo de echar un vistazo a *Il Gazzettino* y a *La Nuova* para ver si informaban sobre el robo en la biblioteca, pero ninguno de los dos periódicos lo mencionaba.

Marcó el número de *telefonino* de la *contessa* y después de tan solo dos llamadas respondió una voz de mujer.

—Morosini-Albani.

—*Contessa* —empezó el comisario—, soy Guido Brunetti, el marido de Paola Falier.

—Le reconozco por su propio nombre, *commissario*.

Era una broma, no una provocación.

—Me halaga, *contessa*. No hablamos demasiado durante las cenas.

—Eso siempre me ha parecido una pena.

Su voz delataba únicamente las pistas más mínimas de sus orígenes sicilianos.

—En ese caso, si tiene tiempo, quizá podamos hablar hoy —dijo.

Había decidido que la mejor manera de tratar a la *contessa* era siendo directo.

—¿Sobre qué? —preguntó ella, y Brunetti se acordó de que la *dottoressa* Fabbiani no se había mostrado muy dispuesta a hablarle del legado.

—Sobre la biblioteca Merula.

Hubo una larga pausa.

—¿La *dottoressa* Fabbiani le ha hablado de mi relación con la biblioteca? —dijo finalmente.

—Me temo que no tuvo elección, *contessa*.

—Siempre se tiene ocasión de elegir —respondió ella al instante.

—Quizá menos cuando la policía está involucrada en el asunto —replicó él sin demasiada malicia.

—Así es, desgraciadamente —dijo ella.

Al parecer la idea no le agradaba.

—¿Se trata de una petición oficial de información? Aunque no hay nada que le pueda decir —añadió inmediatamente.

—Quiero que hablemos sobre libros, *contessa*. Sé muy poco sobre el tema.

—Pero ya hemos hablado de libros, *commissario*.

La *contessa* sonó tan insincera que él se echó a reír.

—Me refiero a libros antiguos.

—¿El tipo de libros que se roban?

—En este caso, que han sido robados —se arriesgó a decir Brunetti.

—¿Significa esta llamada que usted está al mando de la investigación?

—Sí.

—Entonces será mejor que venga para que podamos hablar.

Sabía dónde estaba el *palazzo*: acostumbraba pasar por delante de camino al instituto y, después de cenar en Carampane, Paola y él solían pasar por allí las veces que decidían volver paseando por la ruta más larga. Los cuatro pisos se alzaban sobre un pequeño *campo* en San Polo y la puerta lateral se abría a uno de los canales perpendiculares a Rio San Polo. Las ventanas de la planta baja y del primer piso estaban protegidas por barrotes, y durante todos aquellos años, siempre que Brunetti los veía, pensaba en la posibilidad de un incendio, y en que en caso de producirse uno, los residentes se verían obligados a saltar desde el segundo. No había elegantes arabescos ni la menor indicación de filigrana; aquel enrejado no se preocupaba por la belleza: los barrotes eran más rectos que las columnas de un crucigrama y los habían soldado muchos siglos atrás allí donde los verticales se cruzaban con los horizontales. Desde entonces, nada los había atravesado aparte de manos tendidas.

Con el paso de los siglos se habían oxidado y habían trazado largas estelas oscuras en la fachada. Brunetti se acordó de las señales de envejecimiento de la fachada del edificio de Franchini.

Se cambió el maletín a la mano izquierda y llamó al timbre; enseguida le abrió la puerta una mujer de piel oscura y delantal blanco. Podía ser tailandesa o filipina.

—¿*Signor* Brunetti? —le preguntó.

Cuando él le dijo que sí, ella hizo lo que en otra época se hubiese llamado una reverencia y Brunetti frenó el impulso de sonreír. La mujer se apartó a un lado, dijo que la *contessa* lo estaba esperando y le dejó entrar en el amplio *androne* que llegaba hasta el canal, donde vio más ventanas con barrotes.

Ella cerró la puerta con aparente esfuerzo y después se dio media vuelta y lo guio a través de la estancia hacia unas escaleras que llevaban al primer piso. La puerta que se encontraba al final era una inmensa losa de cuadrados de castaño, y en el centro de cada uno había tallada una rosa abierta. El pomo era de latón y tenía la forma de una garra de león.

Una vez dentro, lo condujo por un pasillo sin ventanas hasta un gran salón que daba al *campo*. Le dijo que se pusiera cómodo, que iba a buscar a la *contessa*, y después desapareció a través de una puerta de doble hoja que había al otro lado de la estancia.

Brunetti no tenía ni idea de cuánto tiempo iba a tener que esperar, pero no quería que al entrar ella lo encontrase sentado. Se acercó a observar el primer cuadro que tenía a la izquierda, una gran escena de caza en la que un jabalí era derribado por una jauría de perros que sacaban espuma por la boca; dos de ellos parecían haberse desentendido de la caza para retozar juntos por el suelo. Un gigantesco gran danés estaba destrozándole la oreja al jabalí y otro lo sujetaba firmemente por la pata trasera. Brunetti reconocía el estilo por un bodegón que el *conte* tenía en su estudio y pensó que el cuadro podía ser de Snyders, pero ni siquiera así le gustaba.

En la pared que recibía la poca luz que entraba desde el *campo* había seis retratos de hombres y mujeres. Detectó un parecido entre uno de los hombres y el jabalí, mientras que la expresión de otro no era tan diferente de la del perro que tiraba de la pata de la presa. Se preguntó si serían retratos de familia.

La llegada de la *contessa* interrumpió su reflexión. Llevaba un sencillo jersey gris y una falda de punto más oscura, justo por debajo de las rodillas. Brunetti recordó que tenía las piernas bonitas y lo confirmó con un vistazo rápido. Llevaba unas cadenas de diminutos aritos dorados entrelazados, cada uno de ellos más pequeño que la cabeza de un alfiler: el delicado eslabón Manin con el que solían soñar su madre y sus amigas. Ellas aspiraban a poseer una cadenita y la *contessa* debía de llevar puestas una treintena.

Él sabía que era dos años mayor que su suegra, pero parecía al menos una década más joven de lo que era en realidad. Tenía la piel inmaculada, como de rosas y nata, y Brunetti se propinó mentalmente un coscorrón al oírse a sí mismo usar tales términos.

Ella cruzó la sala rápidamente para saludarlo, le tendió la mano y no pareció sorprenderse en absoluto cuando él se agachó para besársela. Lo condujo hacia una silla y le preguntó:

—¿Puedo ofrecerle un café, *commissario*?

—Es muy amable, *contessa*, pero he tomado uno de camino. Ya es suficientemente generosa al acceder a hablar conmigo.

Antes de sentarse, esperó a que ella tomase asiento frente a él. Con la postura muy recta, parecía estar colocada con tal precisión que Brunetti dudó de si alguna vez habría tocado el respaldo de la silla con la espalda. Tal y como se había percatado la primera vez que la vio, tenía un perfil perfecto: una nariz recta y una frente alta que, aunque él no comprendía por qué, decía mucho sobre su energía y optimismo. Sus ojos, tan negros como podían serlo un par de ojos, se veían aún más exagerados a causa de su tez pálida.

Brunetti posó el maletín en el suelo.

—Le agradezco que haya hecho un hueco para hablar conmigo, *contessa*.

—Unos libros que en su día me pertenecieron han desaparecido o están estropeados y usted va a encontrar a la persona responsable. No me parece que al reunirme con usted esté siendo generosa con mi tiempo —dijo, y sonrió para suavizar el comentario.

—Espero no parecerle venal —dijo sin estar seguro de si lo estaba reprendiendo o dándole las gracias—, pero el principal motivo de mi visita es para hablar de las pérdidas económicas que ha sufrido la biblioteca y, si pudiera dedicarme suficiente tiempo, también para aprender más cosas sobre sus libros. La *dottoressa* Fabbiani dijo que conoce bien el tema.

Se percató de que durante un instante ella se mostró sorprendida y añadió:

—Sus comentarios fueron muy elogiosos.

—Me halaga —respondió la *contessa* como si hablara en serio.

—Dijo que usted tiene cierta sensibilidad para los libros —le dijo.

Ella sonrió y levantó una mano como para rechazar el cumplido y Brunetti prosiguió:

—La verdad es que yo sé muy poco sobre ese mundo; bueno, al menos sobre libros de esta calidad. Es decir, entiendo que alguien los ha robado, pero no por qué esa persona escogió llevarse lo que se llevó ni lo que ocurre después del robo: dónde se pueden vender las páginas, cuál es su valor.

—Es una pena que no hayamos hablado de esto durante las cenas en casa de Donatella —dijo ella.

—Allí intento ser el marido de Paola, no un policía.

—Sin embargo, hoy, aquí, ¿sí lo es?

—Sí. —Brunetti abrió el maletín y sacó una libreta y un bolígrafo—. Uno de los libros robados —empezó a decir— lo donó usted. La *dottoressa* Fabbiani dijo que era un Ramusio, pero desconozco su valor.

—¿Qué importancia tiene eso?

—Me da una indicación de cuán grave es el delito —respondió Brunetti.

—La gravedad no está en duda —dijo severamente—. Es un libro bonito y muy poco corriente.

Brunetti meneó la cabeza intentando evitar una confusión.

—Me temo que yo lo miro desde el punto de vista policial, *contessa*. El valor económico del libro afecta a la manera en que tratamos el delito.

Se fijó en cómo ella le daba vueltas a la idea, seguro de que de algún modo la ofendía.

—El precio que se pagó por cada uno de ellos debe de estar en los archivos de la familia.

—Pero esos precios estarán anticuados, ¿verdad? —preguntó él, aunque sabía que tenía que ser así.

Entonces, creyendo que quizá eso ayudase a calcular un valor más actualizado, preguntó:

—¿Estaba asegurado? Me refiero al Ramusio.

—Mi suegro —empezó a decir la *contessa* con una tímida sonrisa— comentó un día que se había planteado contratar un seguro para lo que había en el *palazzo*. —Dejó el comentario colgando en el aire durante tres largos segundos—. Pero me dijo que le resultaba más barato asegurarse de que siempre hubiera al menos un miembro del servicio en la casa.

Le lanzó una mirada fría y desapasionada.

—Sí, no cabe duda de que eso sale más barato —convino Brunetti.

—Entonces sí —dijo ella.

Habiendo dejado claro cuál era la posición y riqueza de la familia de su marido, añadió con un humor más práctico:

—Una manera de descubrir el valor más reciente es echar un vistazo a los listados de ventas y subastas que hay en línea.

Brunetti ya sospechaba de la existencia de ese tipo de listas.

—Haré que alguien lo mire.

Porque también el comisario tenía sirvientes que hacían las cosas por él.

—¿Qué más ha desaparecido?

—Creo que aún no conocen el alcance total. El hombre que cortó las páginas nunca pidió ni vio los dos libros que han desaparecido.

—Pero ¿la *dottoressa* está segura de que no los tienen?

—Sí.

—¿Quiere decir que hay más de un ladrón? —preguntó la *contessa* un momento después.

—Eso es lo que parece.

Hizo un ruido que, de no haber tenido ella un título nobiliario, se podría haber considerado un resoplido.

—Pensaba que en una biblioteca estarían a salvo.

Brunetti tuvo la sensatez de no responder.

—Ese hombre estuvo yendo allí durante tres semanas —continuó ella— ¿y me dice que nadie vio nada?

Detectó la dureza de aquellas palabras, pero permaneció callado.

—La directora me ha dicho que era estadounidense —dijo la *contessa*—, aunque eso tampoco cambia nada.

Brunetti se agachó para sacar la carpeta del maletín.

—Se llama Joseph Nickerson —dijo leyendo del documento.

Levantó la vista para ver si a ella le sonaba de algo; pero era obvio que no, así que le dio el resto de la información: la Universidad de Kansas, historia del comercio marítimo y mediterráneo, carta de presentación, pasaporte.

—¿Tiene una foto?

—Sí —dijo Brunetti, y le pasó la fotocopia de unas páginas del pasaporte.

—Tiene cara de americano —dijo ella con cierto desdén.

—Al menos eso es lo que dijo en la biblioteca.

Brunetti tendió la mano para recuperar el papel y volvió a observar aquel rostro. Los que habían hablado con Nickerson lo habían hecho en italiano y habían escuchado su acento. En ese caso, podía ser inglés o de cualquier otro país. Pero hablaba italiano con fluidez. De pronto Brunetti se preguntó si no sería el acento lo que había aprendido en lugar del idioma, y si no podía, pues, ser italiano. Si el pasaporte era falso, ¿por qué creer la información que proporcionaba?

Volvió a mirar la foto, le oscureció el pelo y se lo dejó crecer un poco. Sí, no dudaba de que era posible. Era una pena que Nickerson no hubiese dejado una muestra de su letra, aunque solo fueran unas pocas palabras: esa era una señal de proveniencia mucho más certera que la del acento o la apariencia.

Mientras Brunetti seguía enfrascado en la idea de la letra manuscrita, la *contessa* permaneció en silencio. ¿No era Nabokov quien escribió que había dejado conscientemente de dibujar la rayita en el número siete tras mudarse a Estados Unidos para declarar públicamente que había dejado el Viejo Mundo atrás? ¿Y cómo había solicitado Nickerson los libros que quería consultar si no rellenando un formulario? ¿O también ese proceso estaba digitalizado?

La *contessa* interrumpió sus reflexiones.

—Se me acaba de ocurrir que no sé cómo debería dirigirme a usted. ¿Es «*commissario*», «*dottore*», «*signore*»?

—El marido de Paola se llama Guido —dijo—. ¿Le parecería demasiado que le pidiera que me llame así?

Ella ladeó la barbilla y lo miró fijamente; lo sometió a un escrutinio que finalmente lo hizo sentirse incómodo.

Aunque lo resguardaba el ala protectora de la familia Falier, Brunetti no estaba seguro de que ella los viera a ellos cuando lo miraba a él.

—Así es. Veamos, ¿qué quería saber sobre libros? —preguntó sin llamarlo de ningún modo y manteniendo el *lei* de uso formal que había utilizado él.

Brunetti tardó un momento en digerir el rechazo a intimar gramaticalmente y volvió a centrarse en el delito. *Cui bono?* ¿Quién se beneficiaba de algo así y cómo se medían los beneficios? Si el ladrón y futuro propietario no eran la misma persona, ¿qué provecho sacaba cada uno de ellos? Sus motivos para querer las páginas eran diferentes: venal en uno de los casos y en el otro...; no se le ocurría la palabra adecuada, quizá porque no comprendía aquel deseo.

La *contessa* interrumpió lo que estaba pensando cuando se aclaró la garganta en señal de impaciencia.

—Usted tiene fama de coleccionista —empezó diciendo él—. Una coleccionista inteligente.

Hizo una pausa para ver si respondía al cumplido, pero ella se mantuvo a la espera con expresión impasible y no le quedó más remedio que continuar.

—Yo no comprendo el deseo de poseer libros poco comunes. —Y para aclararlo añadió—: Me refiero a un deseo tan fuerte como para robarlos o encargar que los roben.

—¿Entonces?

—Entonces me gustaría que me ayudase a entender por qué hay gente que lo hace. Y qué clase de persona lo haría.

Ella lo sorprendió con una sonrisa.

—Donatella me ha contado alguna cosa sobre usted —dijo sin dejar de tratarlo con formalidad.

—¿Debería preocuparme? —preguntó él alegremente.

La sonrisa no desapareció.

—En absoluto. Me dijo que usted quería entender las cosas.

Antes de que Brunetti pudiera darle las gracias por el cumplido, pues él se lo había tomado así, ella continuó:

—Pero me temo que eso no le servirá de nada en este caso: no hay nada que entender. Los roban por dinero.

—Pero... —dijo Brunetti.

No le dejó acabar la frase.

—Eso es lo único que mueve a los ladrones. Olvídese de artículos sobre hombres que tienen una pasión desmedida por mapas, libros y manuscritos: eso no son más que tonterías románticas. Freud en la biblioteca.

Se inclinó hacia delante y levantó la mano, aunque en realidad no hacía ninguna falta que intentase llamar su atención.

—La gente roba libros y mapas y manuscritos, y cortan páginas sueltas o capítulos enteros porque los pueden vender.

A Brunetti no le costaba esfuerzo creer que la codicia fuera un motivo para que los humanos cometiesen crímenes, así que simplemente preguntó con tranquilidad:

—¿Y quién los compra?

—He oído rumores —dijo ella—. Tratantes, galeristas o casas de subastas, todos están dispuestos a comprar sin hacer preguntas.

—¿Los ladrones roban por encargo?

—Mientras los libros no tengan el sello de una biblioteca y sean lo suficientemente poco comunes, saben que los venderán. A una clase de cliente mejor, claro —añadió con fiero énfasis.

Brunetti se quedó en silencio.

—¿Y quiénes son? —preguntó finalmente.

Ella lo miró sin prisa, como si quisiera evaluar cuánta información podía darle.

—Los que quieren cosas bonitas a precios de saldo.

—¿Habla de gente que conoce?

—Y seguramente de gente que usted conoce —respondió ella.

10

—¿Podría ayudarme a conocer mejor el mercado que existe para este tipo de cosas?

—¿Para libros y páginas? —dijo ella como si creyese que escuchar esas palabras iba a mantener su enfado al rojo vivo. Sin embargo, prosiguió en un tono más comedido—. Creo que no hay mucho más que decir —añadió con neutralidad—. Los robos los hacen profesionales y a veces incluso por encargo.

—¿Quién los compra?

—Los artículos más importantes, los coleccionistas. —De pronto se quedó callada un momento—. Debe comprender que le estoy contando lo que he deducido a lo largo de los años, a partir de los rumores que han llegado a mis oídos.

—¿Y lo demás?

—Cosas más pequeñas, como páginas sueltas de un libro sobre aves o flores o mamíferos, se pueden vender a tiendas pequeñas.

Miró las ventanas del otro lado de la calle.

—Es posible, incluso probable, que la persona que las compra para venderlas en su tienda ni siquiera sepa que son robadas.

No parecía completamente convencida de esto último y tampoco lo estaba Brunetti, pero sabía que la gente se dejaba convencer con mucha facilidad de aquello que quisiera creer. No obstante, lo dejó pasar por alto sin más.

—Y supongo que aquel que vaya a comprar a la tienda —prosiguió ella— no tendrá motivos para sospechar de nada.

Brunetti la miró y asintió, y después volvió a la libreta.

—Luego están las tiendas donde enmarcan cuadros, los mercadillos y las ferias de arte: en sitios así se compra y se vende; de modo que para un ladrón es fácil deshacerse allí de las páginas.

—Volvamos a los libros completos. Son los más valiosos.

—Ah —dijo ella alargando el sonido un largo momento—, son mucho más difíciles de esconder o de disimular. Si son de una biblioteca, algunas de las páginas estarán selladas. Cada biblioteca utiliza un sistema diferente, pero en todas se estampan varias páginas.

Brunetti asintió, ansioso por que ella no pensase que era un completo ignorante en cuestión de bibliotecas.

—Si llevan un sello, es como si les grabaran la palabra «robado» en la cubierta —continuó ella.

—Entonces, ¿por qué molestarse en comprarlos?

Ella se reclinó en la silla, como para tener una mejor visión del *commissario*. Juntó las manos en el regazo y siguió hablando.

—¿Sabe? Usted no hace justicia a su familia política.

—Hace mucho que no me lo decían —dijo Brunetti, y sonrió.

Ella rompió a reír. La risa sonaba como la tos de un fumador y lo sorprendió tanto que hizo amago de ponerse en pie para acudir a ayudarla, pero ella levantó la mano para detenerlo y devolverlo a su asiento. Cuando el ruido cesó, ella dijo:

—Me refiero a que no parece tener la típica codicia veneciana.

Él se encogió de hombros con la sospecha de que se trataba de un cumplido, aunque no lo tenía del todo claro.

—Muchos quieren los libros para presumir de ellos, al menos delante de ciertos amigos. Para enseñar su fabulosa y nueva adquisición sin que nadie haga preguntas. Les gusta alardear de tener un códice de Galileo o una primera edición de esto o de lo otro. Algo que no sea corriente. Un superviviente del siglo XVI. Un pedazo de cultura. —Se le había oscurecido la voz, como si de un juez leyendo la lista de acusaciones se tratase—. Supongo que indica más sofisticación por su parte que si hubiesen comprado un Ferrari.

Su desprecio se iba marchitando poco a poco.

Él asintió: comprendía —aunque no compartía— ese deseo.

—Me gusta que para usted nada de esto tenga sentido —dijo ella con otra sonrisa, aunque acabó volviéndose una mueca.

Señaló algo detrás de él. Brunetti se volvió y vio un retrato de un hombre de nariz aguileña que llevaba una chaqueta de terciopelo de color marrón oscuro. Se imaginaba que era del siglo XVI, puede que de algún lugar del centro de Italia: ¿Bolonia, quizá?

—¿Cuánto diría que vale ese cuadro? —preguntó ella.

Él se metió la libreta en el bolsillo, se puso en pie, se acercó a la pintura y la miró más de cerca. No cabía duda de que el autor tenía cierto don, solo hacía falta fijarse en las manos del retratado para darse cuenta de ello. El terciopelo prácticamente se podía acariciar, y como Brunetti era de la misma altura que el retratado, vio que tenía la mirada inteligente y clara, una mandíbula poderosa y los hombros alzados. Aquel hombre debió de ser buen amigo y fiero enemigo.

—No tengo ni idea —dijo Brunetti sin apartar la mirada de él—. Lo único que puedo decir es que es un cuadro muy bonito, de una factura maravillosa.

Cuando se volvió hacia ella, vio que sonreía de nuevo.

—Si le dijese que es uno de mis antepasados, ¿estaría de acuerdo con que tiene más valor para mí que para usted o para cualquier otra persona?

—Sin contar a otros miembros de su familia.

—Por supuesto.

Brunetti regresó a su silla y se sentó frente a ella.

—¿Qué necesito saber sobre los coleccionistas y sobre el valor de los artículos?

Era evidente que la *contessa* estaba esperando esa pregunta, o una por el estilo.

—Son gente muy extraña, al menos la mayoría. Casi todos son hombres, y a prácticamente todos les gusta presumir. —Él asintió para comunicarle que ya sabía ambas cosas y ella prosiguió—: En el caso de los relojes, coches o casas, es fácil que tus amigos averigüen lo que han costado: cualquiera cae rendido ante un Lamborghini nuevo o un Patek Philippe. Pero no son muchos los que conocen el valor de los libros.

—Entonces, ¿por qué los coleccionan? ¿Y por qué se molestan en robarlos o encargar que los roben? Eso te convierte en un ladrón de clase alta, pero ya está.

Ella sonrió al oír la expresión.

—Si los amigos también son ladrones, tienen aún más motivos para alardear.

Brunetti no había pensado en esa posibilidad. ¿Era posible que la humanidad hubiese tocado fondo de tal manera? Pensó en algunos de los políticos en cuyas bibliotecas particulares se habían hallado libros robados y sí, era posible.

—Hay gente que colecciona libros porque le gustan y los considera parte de nuestra historia y cultura —dijo ella—, pero eso usted ya lo sabe.

—¿Como por ejemplo la familia de su marido?

Ella se echó a reír de nuevo y a él siguió pareciéndole la tos de un viejo fumador.

—No, no, por Dios... Ellos los adquirían a modo de inversión. Y debo decir que no les faltaba razón: ahora valen una fortuna.

—Los va a donar todos a la biblioteca, ¿verdad?

—Es probable que sí. Prefiero verlos a salvo en un lugar donde aquellos que se interesen por ellos los puedan leer que ver que acaban en manos de personas que solamente los ven como vales de dinero. —Como si hubiese anticipado la reacción de Brunetti, de pronto preguntó—: ¿Tiene más preguntas?

—¿Qué desperfecto supone cortarle una página a un libro?

—Es irreparable, incluso si las páginas se recuperan. El libro ya no es el mismo objeto.

Brunetti pensó que era como la idea de la virginidad femenina que estaba en boga cuando él era joven, aunque no creyó prudente hacer el comentario.

—¿Y qué efecto tiene eso en el...? —Dudó sobre qué palabra usar y finalmente se decidió por «precio».

—Lo baja muchísimo. Aunque solo falte una página, este puede reducirse a la mitad. El libro está corrompido.

—¿Aunque el texto continúe intacto?

—¿A qué se refiere? —preguntó ella.

—Si está intacto. Si el texto del libro sigue completo y se puede leer.

La *contessa* no pudo evitar contraer la boca en una mueca de desaprobación.

—No estamos hablando de lo mismo: yo hablo de un libro y usted de un texto.

Brunetti sonrió y le puso el tapón al bolígrafo.

—Creo que los dos hablamos de libros, *contessa*, pero los estamos definiendo de forma diferente.

Se puso en pie.

—¿Eso es todo? —preguntó ella con sorpresa.

—Sí —dijo Brunetti—. Ha sido muy generosa con su tiempo y sus conocimientos, *contessa*.

Cerró la libreta y la guardó en el bolsillo interior de la chaqueta. Ella le devolvió los papeles después de mirar la foto del pasaporte de Nickerson por última vez y Brunetti los guardó en el maletín bajo la atenta mirada de la *contessa*, que finalmente se levantó y se acercó a la puerta.

—Una vez más, gracias por su tiempo, *contessa* —dijo deteniéndose junto a la entrada del salón.

Ella cogió la manilla pero no hizo ademán de abrir, sino que se quedó mirándolo y sonrió.

—Si quieres saber cuál es el valor de los textos, Guido —dijo ella usando su nombre y el tono informal que le había negado durante toda la conversación—, date un paseo hasta Rio Terà Secondo.

Brunetti enarcó las cejas pero no dijo nada.

—Allí encontrarás el edificio donde estaba la imprenta de Manucio; no hace falta que te diga que es la más importante de la historia del mundo occidental.

»En la fachada del edificio hay dos placas: una anuncia que allí estaba la imprenta Aldina «que devolvió el esplendor de la literatura griega a la gente civilizada». La Escuela de Literatura Griega la instaló allí. La de Padua. A pie de calle, a mano derecha, hay un local abandonado, y a la izquierda, una tienda que vende basura para turistas. El día que encontré aquel sitio, pregunté en cuatro tiendas cercanas, pero nadie sabía quién era Aldo Manucio.

—¿Cómo lo encontró?

—Llamé a una amiga y se lo pregunté. Ella lo encontró en Wikipedia y me llamó. San Polo, 2310, si quieres ir a verlo tú mismo.

Ella tendió la mano y él volvió a agacharse para plantarle un beso invisible. Oh, ojalá su madre pudiera ver a su niño besar la mano de una *contessa*. No tenía el *palazzo* junto al Gran Canal, pero Brunetti estaba seguro de que a ella no le hubiese importado en absoluto: no dejaba de ser un *palazzo* y la mujer que le había ofrecido la mano seguía siendo una *contessa*.

11

Ese día él y Paola comieron a solas: lasaña de salchicha y *melanzane*. Chiara estaba de excursión en Padua y Raffi en el barco de un amigo.

—Se nos va a morir —había dicho Paola—. Todo el día al aire libre en la laguna..., ¿qué pasa si se pone a llover?

Brunetti miró por la ventana de la cocina y el cielo que vio estaba tan azul que podía ser un pedazo del manto de la Virgen. Antes de comer había salido a la terraza para ser recibido por el ruido ensordecedor de los pájaros que anidaban en los pinos del patio que había al otro lado de la calle. La primavera había vencido y nada podía frenar su avance. En cuestión de dos meses iban a estar quejándose del calor.

—Ya entiendo lo que querías decir sobre la *contessa* —dijo él sin prestar atención a lo que decía su esposa.

Ante la posibilidad de chismorrear un poco, Paola aparcó la preocupación por su primogénito.

—¿Qué quería decir con qué?

—Que a la hora de expresar sus opiniones o socializarse es poco menos que delicada.

—Ah, eso. Sí, dice lo que piensa; pero creció siendo la hija favorita y la trataban como a una princesa aunque solamente fuese vizcondesa, así que supongo que es comprensible.

—¿Y perdonable?

—No, por Dios —dijo ella al instante—. Es más importante comprender a las personas que perdonarlas.

Brunetti se preguntó si su esposa acababa de descubrir por qué Freud había desestimado a Dios, pero no pretendía emplear ni un minuto en discutirlo con ella; no cuando quería conseguir más información sobre la *contessa*.

—No siente mucha simpatía por la gente que colecciona cosas —dijo Brunetti.

—Me parece muy bien —dijo Paola, repentinamente atenta.

Estaban sentados en el sofá de su estudio, la habitación parecía alegre por el regreso de los rayos del sol. En lugar de tomar el vino de la comida, los dos habían optado por el café que tenían delante. Paola dio un sorbo al suyo, lo removió en la tacita para aprovechar lo que quedaba de azúcar y se lo acabó.

—Hace una distinción entre las personas como ella, que entienden las cosas hermosas y las aman, y los que simplemente quieren cosas bonitas para colgarlas en la pared —dijo él mientras recordaba la conversación con la *contessa* Morosini-Albani.

Aunque había intentado suavizarlo, incluso él reconocía que la afirmación lo incomodaba.

Paola posó la tacita sin hacer ruido y se volvió hacia él.

—Si yo distingo entre el interés con el que tú lees historia romana y un periodista que se refiere a la corte del emperador Heliogábalo para establecer un paralelismo con la situación actual de Roma aun sin tener ni idea de quién era Heliogábalo, ¿dirías que se trata de una distinción espuria?

Hablaba con mesura, pero Brunetti oyó el roce entre la maleza de la cola de la depredadora que se preparaba para abalanzarse sobre él.

—O si me refiero a mi profesión, que en general parece estar sumida en las tinieblas, y digo que la lectura que yo pueda hacer de *Retrato de una dama* revelará muchos más matices que los que aparezcan en la versión de Hollywood, ¿también es esa una distinción espuria?

Él agachó la cabeza, estudió los restos de café y dejó la tacita sobre el platillo, junto a la de ella.

—Supongo que depende de cuánto desprecio por Hollywood demuestres tener.

—Siempre se debería demostrar desprecio por Hollywood. —Dicho eso, le ofreció una sonrisa luminosa y añadió—: Ya sabes que es una esnob. Todos lo somos, pero quizá ella tenga razón.

—Puede ser —dijo Brunetti, pero quedó claro que se trataba de una concesión y que no estaba realmente de acuerdo con ella.

Miró la hora, vio que aún faltaban treinta minutos para tener que volver al trabajo y decidió hacerle una pregunta a Paola, pues ella leía de todo y además reflexionaba sobre ello.

—¿Alguna vez has leído algo de ciencia ficción?

—Es que Henry James escribió tan poca... —dijo, y se echó a reír.

—En serio.

—Sí, alguna cosa. Antes.

—¿Has leído la novela en la que queman libros?

Si la había leído, Brunetti sabía que la tendría almacenada en alguna parte.

—Que yo recuerde, no. Dame más pistas.

—No me acuerdo del título, pero hablaba de un mundo en el que el Estado había prohibido los libros, y los bomberos (esto me hizo gracia), los bomberos iban por ahí quemando los libros que encontraban. Si tenías uno, te mataban.

—Estoy segura de que mis alumnos querrían mudarse a ese sitio —dijo Paola con expresión seria.

—No creo que les fuese a gustar tanto, porque había gente que memorizaba los libros enteros: se convertían en el libro. Era la única manera de preservarlos.

Ella se volvió hacia él y lo miró.

—¿Qué te ha hecho pensar en eso?

Él se encogió de hombros y miró la mesita, que estaba cubierta de libros en diversos estadios de la lectura: con las esquinas dobladas y sobadas; cubiertos aún con el plástico protector; abiertos y colocados boca abajo; mejilla con mejilla en un íntimo abrazo para marcar la página de ambos; con las páginas abiertas de par en par o contemplando el techo.

—Debería habérselo comentado a la *contessa*.

No estaba convencido de que ella conociese muy bien el género y sospechaba que la referencia tampoco le iba a parecer demasiado convincente.

—Si te deshaces de los libros —dijo él—, te deshaces de la memoria.

—Y de la cultura, la ética y la variedad, y de cualquier argumento que se oponga a aquello que has escogido creer —dijo Paola como si estuviera leyendo una lista.

Entonces, dado que él no le había respondido, repitió la pregunta:

—¿En qué estás pensando?

—En algo que me dijo. Creo que ella piensa que la belleza de los libros es tan importante como el texto.

—Para algunas personas lo es. Si no, supongo que no los robarían. El objeto en sí puede decir mucho sobre la cultura —reconoció después de reflexionar unos instantes—, y goza de importancia histórica. Piensa en todos esos libros sobre historia natural en los que los datos son erróneos pero los dibujos son perfectos.

—No estuvimos de acuerdo —dijo Brunetti.

—Espero que tu voto fuese para el texto —dijo Paola mientras se volvía hacia él.

—Por supuesto.

—Muy bien. Tener que divorciarnos ahora sería un problema.

Brunetti resopló y negó con la cabeza.

—Boba...

—Dijiste algo que sigue sin tener sentido —afirmó ella después de una larga pausa.

—¿El qué?

—Que puso pies en polvorosa.

—¿Perdón?

—Que el tal Nickerson salió de la biblioteca a toda prisa y se dejó los libros encima de la mesa.

Mientras estaban allí sentados, el sol había ido avanzando y los rayos ya le alcanzaban la planta de los pies, que había puesto sobre la mesita. Paola se estiró aún más en el sofá para llegar más lejos y movió los pies a la luz del sol.

—Qué agradable —dijo, y suspiró.

—¿Calienta más?

—Físicamente, no —contestó ella, y retomó el tema anterior—: ¿Por qué lo hizo?

—Se dio cuenta de que alguien lo vigilaba —dijo Brunetti pensando en Tertuliano.

—O puede que alguien le diese el soplo —sugirió Paola.

—¿Cómo?

—Se puede entrar con el *telefonino*, ¿verdad?

—Supongo que sí. La gente se los lleva a todas partes.

—Entonces puede que lo llamasen o que recibiese un mensaje de texto.

—Para eso hace falta un cómplice —añadió Brunetti.

—Que se las hubiese arreglado para conseguir un pasaporte estadounidense falso indica un nivel de organización un pelín más sofisticado que una tropa de *boy scouts* que se ha dejado seducir por el lado oscuro —respondió Paola, pero le quitó hierro con una sonrisa—. Creo que estamos de acuerdo en que pasó algo y eso lo asustó.

Brunetti se permitió abandonarse al abrazo del sofá. Cerró los ojos y procuró recordar lo que Sartor había dicho sobre el hombre. Algo sobre que el entusiasmo que demostraba Nickerson por los libros que leía lo había llevado a leer el volumen de Cortés.

Sacó el *telefonino* y marcó el número del despacho de la *signorina* Elettra con la esperanza de que estuviese allí. Contestó a la segunda llamada.

—*Sì, dottore?*

—¿Me puede hacer un favor? Quiero que mire el catálogo de la Merula y me diga cuántas copias tienen del libro que escribió Hernán Cortés. Se llama *Relación* de no sé qué.

—¿Quiere que lo haga ahora, *dottore*?

—Si no es molestia...

—Espere un momento —dijo ella.

Sujetó el teléfono con el hombro y apoyó la cabeza en

el respaldo del sofá. De pronto oyó que Paola pasaba una página: debía de tener algún texto escondido en alguna parte, debajo del cojín o algún sitio parecido, para evitar esos casos en los que de pronto uno se ve con tres minutos libres y nada que leer. Brunetti no la miró, simplemente se limitó a contar las páginas que iba pasando. Después de la cuarta, la *signorina* Elettra volvía a estar al aparato.

—En el catálogo aparece una copia de *Segunda carta de relación*, impresa en Sevilla en 1522; una copia de *Carta tercera*, misma ciudad, un año después; y otra de *Cuarta relación*, de Gaspar Ávila, de Toledo, pero esa no está disponible, por su estado.

»También tienen una versión que se imprimió aquí en 1524, de Vercellese, traducida al italiano por Nicolò Liburnio.

La joven dejó pasar unos instantes antes de preguntar:

—¿Algo más, *dottore*?

—No. Gracias, *signorina*. La aplaudo y le doy las gracias.

—*Dovere* —dijo ella antes de colgar.

Brunetti soltó una carcajada y desconectó el *telefonino*.

—¿Qué te ha dicho? —preguntó Paola, que había levantado la vista del libro.

—Que estaba cumpliendo con su deber. —Se echó a reír otra vez—. Es la secretaria de Patta, no la mía; y sin embargo siempre está dispuesta a dejar lo que esté haciendo para echarme una mano. Y dice que es su deber.

—La ironía es tu punto débil.

Él le posó la mano en la rodilla y le dio una ligera sacudida.

—Pero no el tuyo, ¿verdad?

Brunetti decidió pasar por la biblioteca Merula de camino a la *questura* y llamó a Vianello para quedar con él en el puente de la Accademia, así tendrían tiempo para charlar por el camino. Escogió ir a pie hasta el punto de encuentro, para disfrutar del placer poco común de pasar por calles relativamente solitarias. En cuestión de dos meses sería imposible cruzar San Polo a aquella hora en dirección al puente. Corrección: sería posible, pero insoportable. Se preguntó cuándo había tenido lugar el cambio; cuándo la ciudad se había convertido en un lugar que durante tantos meses del año era tan poco agradable. No obstante, en cuanto cruzó el puente, llegó a Campo San Barnaba y vio a tres mujeres sentadas a una mesa delante de un café con los carritos de los niños aparcados a un lado y la cara al sol para aprovechar los rayos mientras charlaban entre ellas, una corriente de euforia arrasó su mal humor.

En la Accademia vio a Vianello detrás del *edicola*, mirando cómo el dueño jugaba al ajedrez con un amigo.

—No sabía que jugaras —le dijo Brunetti al acercarse.

—No, no juego. Sé cómo se mueven las piezas, pero no se me dan bien la estrategia ni las tácticas.

El comisario prefirió no hacer ningún comentario al respecto. Que un depredador consumado no reconociese su propio talento lo sorprendía, pero quizá no fuese lo mismo perseguir criminales que capturar torres y alfiles.

Echaron a andar al mismo paso, en dirección opuesta al agua.

—Quiero hablar con el vigilante de la biblioteca y me gustaría que estuvieras presente, para decirme qué opinas de él.

—¿De qué vas a hablar? —preguntó Vianello.

—Cuando hablé con él la otra vez, me dijo algo sobre lo que quiero saber más.

—¿Sobre qué?

—Prefiero que lo oigas de su boca.

Vianello se volvió hacia él mientras caminaban.

—¿Sospechas de él?

—No, creo que no. Parece un hombre honrado.

—Pero nunca se sabe, ¿no? —dijo el inspector.

—Exacto.

Al llegar a la biblioteca, Brunetti se acercó al mostrador del primer piso, le dijo al mismo joven que lo había recibido la vez anterior que le gustaría hablar con el *signor* Sartor y se fijó en la variedad de emociones que aparecieron en su rostro: curiosidad, preocupación, miedo.

—Voy a buscarlo —dijo, y se levantó de la silla.

Unos minutos después, ambos aparecieron por la puerta que daba al fondo de libros modernos. Sartor reconoció a Brunetti y se acercó a él con la mano extendida; sin embargo, al ver al hombre que tenía al lado, la dejó caer.

—Buenas tardes, *commissario* —consiguió decir mirándolos a los dos.

—*Signor* Sartor —dijo Brunetti—, le presento a mi compañero: el *ispettore* Vianello.

Sartor les estrechó la mano a los dos, pero sin decir palabra.

—Me gustaría robarle unos minutos —le dijo Brunetti—. ¿Hay alguna sala donde podamos hablar? —preguntó al joven y a Sartor mientras miraba a su alrededor.

Sartor miró a su compañero, pero permaneció en silencio.

—Piero, podrías usar la sala de personal —sugirió el joven.

—Ah, claro —dijo Sartor después de un instante—. Claro.

Se dio media vuelta y, sin pedir a Brunetti y Vianello que lo siguieran, se dirigió hacia la puerta que llevaba a las escaleras y las bajó. Al llegar al patio, los condujo por uno de los laterales y giró a la izquierda, hacia una puerta que había a un extremo.

Brunetti no entendía por qué Sartor no había cruzado el patio en diagonal, pero quizá estuviera prohibido pisar la hierba nueva. Tampoco tenía claro por qué caminaba haciendo movimientos repentinamente torpes, como si le hubiese dado un calambre en una pierna, hasta que se dio cuenta de que estaba evitando pisar las grietas que había entre las losas del suelo. Pasaron por debajo de un lilo y Brunetti se fijó en que estaba en flor. Finalmente se detuvieron frente a unos escalones que llevaban a una puerta de madera con una ventana de doble cristal.

Sartor metió la mano en el bolsillo de su chaqueta y al sacar el llavero arrastró con él una serie de rectángulos de cartulina de colores vistosos que cayeron al suelo revoloteando. Vianello se agachó rápidamente y recogió tres o cuatro.

—Ah, *Gratta e Vinci* —dijo al ver lo que eran, y sonrió—. Mi mujer compra uno cada semana. Lo más que ha ganado han sido cincuenta euros y no quiero ni pensar lo que se habrá gastado para conseguirlos.

Sartor se apresuró a recoger el resto de las tarjetas y le cogió a Vianello las suyas. Cuando las tuvo todas, las miró como si fuesen una mano de póquer y tuviese que decidir su apuesta.

—Yo los compro para la mía —dijo finalmente—, pero ella nunca gana nada.

Se encogió de hombros y con gran desaprobación

por la debilidad de las mujeres murmuró entre dientes: «Las apuestas son para tontos, *roba da donne*», antes de guardárselas de nuevo en el bolsillo. Subió los escalones y abrió la puerta.

—Aquí es donde venimos durante el descanso, si queremos. También lo usamos para cambiarnos de ropa.

Se apartó para dejarlos entrar y a Brunetti le alegró que la sala estuviese tan calentita y fuese tan agradable y espaciosa. Había un lavamanos, una nevera y hasta una pequeña cocina: todo escrupulosamente limpio. Al fondo había dos ventanas que daban a un canal y, junto con la ventana de la puerta, iluminaban la sala de paredes blancas. Una vez dentro, Sartor cerró la puerta.

—Cuando se hizo la restauración elevaron los suelos, para que no entre el *acqua alta* —dijo el vigilante mientras retiraba dos sillas que había junto a la mesa de madera y, por último, otra para él—. A menos que pase de ciento cuarenta, claro.

Las paredes inmaculadas eran testigo de ello.

A un lado de la sala había una hilera de taquillas metálicas con candados y de unos ganchos que había en la pared de enfrente colgaban un abrigo y unas cuantas chaquetas. En el otro extremo había tres sillones raídos pero de aspecto muy cómodo colocados en círculo, entre las tres ventanas.

—Si les apetece, puedo preparar café —dijo Sartor ejerciendo de anfitrión.

Mientras tanto iba metiendo la mano en el bolsillo para asegurarse de que las tarjetas seguían ahí.

Brunetti mintió y dijo que acababan de tomar uno, y fue directo a una de las sillas de la mesa; Vianello hizo lo mismo y los tres se sentaron.

—*Signor* Sartor, cuando hablamos hace dos días —empezó a decir Brunetti sin ningún tipo de introducción—, me dijo que el *dottor* Nickerson le había hablado tanto y tan bien sobre un libro que había incluido en su investigación que usted también lo leyó.

Sartor miró a ambos alternativamente, casi como si buscara alguna señal de que lo estuvieran riñendo por leer un libro de la biblioteca. Finalmente, asintió.

—Sí, así es.

—¿Le importaría repetirme el título?

La expresión de Sartor delataba su creciente confusión.

—Pero ya se lo dije, señor: el Cortés.

—¿En italiano? —preguntó Brunetti.

—Claro. No hablo ningún otro idioma.

—¿Era un volumen independiente o formaba parte de una colección?

—Era un volumen independiente, *signore*, el que encontré el otro día sobre la mesa del *dottor* Nickerson. —Asintió con énfasis—. Es el mismo libro.

—¿Está seguro? —preguntó Brunetti.

Como si buscara la trampa, Sartor miró a Vianello, que estaba siguiendo la conversación en silencio y con un interés que no se había esforzado en disimular.

—Sí, estoy seguro: era el mismo libro. Lo sé porque tenía una mancha en la cubierta, en la esquina superior derecha. Puede que sea tinta, pero es muy vieja.

—De acuerdo —dijo Brunetti—. Muchas gracias.

De pronto Sartor relajó la postura.

—¿Le importaría decirme qué pasa, señor?

—Permítame una pregunta más —dijo Brunetti pasando por alto la que le acababa de hacer el vigilante a él.

Este asintió y con la mano tocó las tarjetas del bolsillo a través de la tela del pantalón.

—Esa mañana, ¿vio entrar al *dottor* Nickerson?

—Sí.

—¿Suele usted hacer el turno de mañana?

—Ahora mismo sí, señor. Desde hace un par de meses estoy aquí a primera hora, durante dos horas.

—¿A qué se debe? —preguntó Brunetti.

—Es por Manuela, la bibliotecaria que normalmente está en el mostrador y se ocupa de las solicitudes. Va a tener un bebé y ahora no viene hasta las once. Así que la *dottoressa* Fabbiani me pidió que me hiciera cargo del mostrador durante esas dos horas. —Sonrió y siguió hablando—. Manuela no nos quiere decir si es niño o niña, pero yo creo que es niño.

Sin hacer caso del comentario, Brunetti preguntó:

—Ese día, ¿estaba usted en el mostrador mientras el *dottor* Nickerson hacía uso de la biblioteca?

—Sí, señor.

—Entendido —dijo Brunetti—. Y dice que hablaba con él todas las mañanas.

—Oh, no. Solamente si no había nadie más o si tardaban mucho en traerle los libros.

Brunetti se acordó entonces de sus días de estudiante y tuvo la sospecha de que habían tenido bastantes ocasiones para charlar.

—¿De qué solían hablar? —inquirió el comisario como si nada, como si quisiera pasar el rato antes de volver a hacer preguntas de verdad.

—Pues de pesca, por ejemplo —dijo Sartor para su sorpresa.

—¿De pesca?

—No recuerdo exactamente cómo salió a colación, pero un día estábamos hablando sobre el tiempo y dije que tenía muchas ganas de que volviese a empezar la temporada.

Miró a Vianello, como preguntándole si entendía ese deseo. El inspector sonrió y afirmó con un gesto de cabeza.

—¿Él pesca? —preguntó Brunetti.

—Sí, pero no en el mar. Me dijo que de donde él venía solamente había lagos, aunque algunos eran muy grandes.

—¿Algo más?

—No, no mucho más, la verdad. Nos decíamos el tipo de cosas que se dicen cuando se quiere matar el tiempo.

—Usted dijo que su entusiasmo le llevó a leer el Cortés —dijo Brunetti con una sonrisa, de lector a lector.

Sartor lo observó un rato y después miró brevemente a Vianello.

—Un día le pregunté qué estaba leyendo, por cortesía —dijo finalmente—, y me explicó que estaba leyendo libros sobre viajeros europeos de los siglos xv y xvi. Yo le conté que el único libro de ese estilo que había leído, y además por obligación en la escuela, era el de Marco Polo. Me contestó que era muy bueno y me nombró alguno más; dijo que eran igual de interesantes.

Sartor arrastró la silla hacia atrás para alejarse de la mesa y cruzó las piernas. Al parecer, la presencia de Vianello lo había tranquilizado lo suficiente como para preguntar:

—¿Está seguro de que quiere que le cuente todo esto?

—Sí —respondió Brunetti.

Sartor suspiró y se cruzó de brazos.

—Cuando me dijo los nombres de los exploradores que le interesaban, solamente reconocí el de Cortés. —Carraspeó un poco y prosiguió—: Quería echarle un vistazo y... decirle que lo estaba leyendo, para sorprenderlo.

Hizo una pausa para mirar primero a uno y después

al otro, puede que nervioso por haber confesado que quería causarle una buena impresión al profesor extranjero.

—¿Y entonces? —dijo Brunetti para que siguiera con la narración.

—Entonces leí parte del primer volumen, como ya le he dicho. Y el otro día le dije al *dottor* Nickerson cuando entró que había leído el libro de Cortés y lo había disfrutado.

—¿Se alegró? —preguntó Brunetti con tono relajado.

Al ver que Sartor no respondía, insistió:

—¿Dijo algo al enterarse?

Sartor apartó la mirada, como si el recuerdo de la conversación lo hubiese dejado momentáneamente perplejo.

—Qué raro —dijo en voz baja.

Brunetti se quedó tan callado como una lagartija en una roca, pero se permitió asentir ligeramente.

—Al principio parecía sorprendido, pero luego dijo que se alegraba de que me hubiese gustado y se marchó a la sala de lectura.

—¿Le dijo usted alguna cosa más?

—Solamente que estaba ansioso por leer el siguiente volumen.

12

Brunetti sonrió y se levantó. Sartor los miró alternativamente varias veces buscando alguna indicación de
qué iba a pasar a continuación y finalmente se puso en
pie. El comisario se inclinó por encima de la mesa y le
estrechó la mano.

—Nos ha sido de mucha ayuda, *signor* Sartor —dijo
procurando hablar con tono tranquilizador.

El vigilante les ofreció un amago de sonrisa, colocó
la silla en su sitio y se volvió hacia la puerta. Mientras la
abría, Brunetti le hizo una pregunta como si se le acabara
de ocurrir.

—Usted me contó que el *dottor* Nickerson hablaba
muy bien el italiano. ¿En algún momento se le pasó por la
cabeza que pudiese serlo?

Sartor los dejó pasar y bajar los escalones hasta el patio, y se volvió a cerrar la puerta. Se quedó un rato con la
mano sobre la llave, que estaba dentro de la cerradura,
hasta que por fin volvió a guardarla en el bolsillo, bajó los
escalones y se detuvo frente a Brunetti.

—No se me había ocurrido, pero puede que lo sea.
Dijo que era estadounidense, pero que de pequeño había

ido a la escuela en Roma. Supuse que casi no tenía acento por eso.

Se quedó callado un momento y echó a andar; pero enseguida se detuvo y se volvió hacia ellos.

—A lo mejor se lo noté porque creía que debía tenerlo. ¿Es posible que me haya pasado eso?

Vianello habló por primera vez.

—A menudo los testigos presenciales recuerdan haber visto cosas que no han ocurrido o personas que no estaban en el lugar de los hechos.

—Qué locura, ¿no? —preguntó Sartor, aunque a nadie en particular.

Se dirigió hacia la puerta que daba a la calle, pero Brunetti lo hizo detenerse en seco.

—Me gustaría hablar con la *dottoressa* Fabbiani.

—Sí, por supuesto —dijo Sartor, y se volvió hacia las escaleras principales.

Una vez arriba, Brunetti se dio cuenta de que el cartel que anunciaba los «problemas técnicos» seguía pegado a la puerta. Sartor la abrió y, cuando entraron, cerró con llave.

—Caballeros, si no les importa esperar aquí, iré a decirle que quieren verla —anunció, y se fue hacia lo que Brunetti calculaba que era la parte trasera del edificio.

—Es posible que se imaginara el acento, ¿verdad? —preguntó Vianello.

—Cosas más raras hemos visto —contestó Brunetti.

Se acercó al mostrador y echó un vistazo a los papeles que había en las bandejas. Leyó los documentos de arriba del todo: una solicitud para un préstamo interbibliotecario, una lista de libros que iban a ponerse a la venta en una subasta que iba a celebrarse en Roma, una carta solicitando un puesto de prácticas no remuneradas en la biblioteca.

Cuando oyó pasos, se apartó y se sentó en una de las sillas. Vianello lo imitó, se recostó en el respaldo y cruzó las piernas.

Se abrió la puerta y entró la *dottoressa* Fabbiani, mientras que Sartor se quedaba detrás, manteniéndola abierta.

—Gracias —dijo ella, y añadió con una sonrisa—: Puedes volver y hacer planes para la Fórmula Uno.

Sartor cerró la puerta tras de sí y se fue.

Aunque no era asunto suyo, Brunetti se levantó y sin poder evitarlo preguntó:

—¿Fórmula Uno?

Ella sonrió.

—Piero es un fanático del motor y del resto de los deportes. No sé cómo su mujer puede con ello: solo piensa en calcular posibilidades para las apuestas y en ganar.

Al ver a Vianello, calló.

—Este es mi compañero: el *ispettore* Vianello.

Dejando de lado el tono relajado y la informalidad, les pidió que la acompañaran a su despacho. Los guio a tal velocidad entre las estanterías de libros que Brunetti se desorientó. Después de unos momentos, ella abrió una puerta que había al final de un largo pasillo flanqueado por librerías de madera y los hizo pasar a su despacho. Sobre el escritorio había un ordenador, un teléfono y una carpeta de cartulina, pero no se veía ningún otro pedazo de papel, bolígrafo, lápiz o clip. La superficie de la mesa era una losa impoluta de vidrio negro.

Cuatro paredes, cuatro grabados que identificó como parte de las prisiones de Piranesi: tristes y sin vida a pesar de la calidad del trabajo. Parqué con un dibujo de rombos y dos ventanas que daban a la Giudecca. Se sentó en una silla de respaldo recto y les indicó que se sentaran cerca de ella.

—¿Qué puedo hacer por usted, *commissario*?

—Tengo curiosidad por conocer el alcance de la pérdida económica que ha sufrido la biblioteca y me preguntaba si ha tenido ocasión de calcularla —dijo él.

Ella escudriñó uno de los grabados de Piranesi antes de responder.

—El Montalboddo se vendió en una subasta a principios de año por doscientos quince mil euros. El Ramusio era un volumen de una serie de tres, pero era una primera edición.

—¿De qué manera afecta eso al precio? —preguntó Brunetti.

—A pesar de ser el segundo de la trilogía, por extraño que parezca lo imprimieron el último —dijo ella.

—Lo siento, *dottoressa*, pero eso no me aclara nada.

—Ya, entiendo —dijo, y se pasó los dedos por el pelo—. Significa, por ejemplo, que seguramente alguien envió al ladrón a por él porque le faltaba para completar la serie. —Al ver que ni Brunetti ni Vianello decían nada, continuó—: Si es así, ahora tendrá los tres volúmenes y el valor total será muy superior al de la suma de cada uno de ellos por separado.

Ambos asintieron.

—Disculpe, *dottoressa* —interrumpió Vianello como guiado por una curiosidad irrefrenable—, ¿de qué manera afecta eso al valor de su trilogía?

Ella lo miró sorprendida; quizá no pensase que los inspectores fuesen capaces de razonar.

—Lo destruye —le espetó.

Entonces, con una sonrisa cansada, añadió:

—No, estoy exagerando. Pero sí hace que pierda muchísimo valor. En cualquier caso, eso no es lo que importa.

—No, claro —admitió Vianello con una mirada comprensiva—. Esto es una biblioteca, no una librería.

La mirada de la directora se volvió más atenta.

—Tiene razón, no lo es. Lo que a la institución le importa no es la pérdida económica. —Y volvió a prestar atención a uno de los grabados.

—¿Cómo puede alguien arreglárselas para llevarse libros de una biblioteca? —preguntó Vianello con verdadera preocupación.

Ella se pasó de nuevo la mano por el pelo.

—No lo sé. En los mostradores siempre hay alguien: en el del fondo moderno y en el de libros antiguos. Al salir registramos bolsos y mochilas.

Brunetti se preguntó cuán exhaustivo era el registro, especialmente cuando se trataba de alguien con quien compartías tu amor por la pesca.

—¿Eso es todo? —preguntó Brunetti.

—Hemos empezado a implantar un sistema de etiquetas —dijo ella.

Al ver que no comprendían, siguió con la explicación.

—Microchips. Se colocan en el lomo de los volúmenes, al menos de los que tenemos aquí arriba. Un sensor como los que hay en los aeropuertos detecta si intentas sacar un libro sin haber pasado por el mostrador de préstamos.

Brunetti, que no había visto señal de dichos equipos cerca de ninguno de los dos mostradores, preguntó:

—¿Ya lo tienen instalado?

Ella cerró los ojos y suspiró.

—Hicimos el pedido hace seis meses, que es cuando empezamos a colocar los chips.

Abrió los ojos y miró a Brunetti.

—¿Pero?

—El aparato que nos enviaron estaba diseñado para detectar chips que utilizan un programa diferente. O al menos eso es lo que nos dijeron.

—¿Qué hicieron?

—La empresa se lo volvió a llevar, pero aún no han traído el nuevo.

—¿Y han dicho cuándo lo harán? —quiso saber Vianello.

—No —respondió ella con tensión en la voz.

—*Dottoressa*, usted me dijo que aquí tienen ocho mil libros —comentó Brunetti—. ¿A cuántos les van a poner chip?

—A todos —respondió señalando a su alrededor con un gesto que incluía toda la planta—. Y a los manuscritos también.

—¿Cuánto tiempo cree que tardarán?

Ella lo miró con perspicacia.

—¿Qué tiene eso que ver con el robo, *commissario*?

—Espero que no se ofenda, *dottoressa*, pero estaba pensando en otros robos que pudieran producirse en el futuro.

Se quedó helada, y Brunetti pensó que les iba a pedir que se marchasen. Juntó las manos sobre el regazo y se puso a toquetearse un pellejo del pulgar. Miró a Brunetti.

—Ya ha ocurrido.

Respiró hondo e intentó hablar con voz firme, pero no lo consiguió hasta que lo intentó por segunda vez.

—Hay más.

Se hizo el silencio en el despacho. Brunetti y Vianello no se movieron un ápice, hasta que pasó más de un minuto y el comisario preguntó:

—¿Más qué, *dottoressa*?

—Más libros.

—¿Desaparecidos?

Ella bajó la mirada y se rascó el pulgar, pero enseguida lo dejó y miró a Brunetti.

—Sí. Quería asegurarme de que no faltase nada más, así que imprimí una de cada diez de las primeras cien páginas del catálogo y comprobé si los libros que aparecían estaban prestados o en las estanterías.

—¿Cuántos libros comprobó en total? —preguntó Brunetti.

La observó mientras pensaba y comprendía la magnitud.

—Más de ciento cuarenta —respondió.

Brunetti no vio motivos para perder más tiempo.

—¿Cuántos faltan?

—Nueve —dijo ella mirando a Vianello y después de nuevo a Brunetti—. La cosa va a peor —añadió subiendo la voz a causa del enfado—. Se lo he oído decir a colegas de todas partes, no solo de este país. Ya nada está a salvo.

Brunetti vio que se estaba apretujando las manos. Después continuó con más calma.

—No sé qué hacer: no podemos impedir que venga la gente. Los académicos necesitan los libros que tenemos aquí.

Se observó las manos y las separó.

—¿Ha acabado de comprobar la lista de los libros que pidió Nickerson? —preguntó el comisario.

—Sí.

—¿Cuántos han...? —Brunetti no encontraba la palabra adecuada.

—Ha profanado treinta y uno —respondió con la palabra que a él se le había escapado—. Eso que sepamos de momento.

—¿Y las pérdidas? —preguntó con la esperanza de que comprendiese que una vez más intentaba determinar el valor monetario.

Estaba convencido de que ella le agradecería que no estuviese preguntando cómo era posible que el asunto les hubiese pasado inadvertido.

La directora meneó la cabeza como si hablara con alguien incapaz de entender un concepto sencillo.

—Los libros están destrozados; al menos según nuestros estándares. Puede que conserven parte de su valor, como uno al que solamente le falta un mapa y ahora vale la mitad que antes, pero ya no son el mismo objeto que eran. Y los que han perdido más páginas prácticamente ya no valen nada.

Convencida de que por fin lo habían comprendido, se acercó al escritorio y regresó con la carpeta en la mano. La abrió, le entregó a Brunetti una copia de los documentos y se quedó con otra antes de volver a sentarse.

—Estos son los libros que sabemos que ha estropeado y los precios que pagamos por los que habíamos comprado. —Se inclinó hacia delante y señaló la primera columna de cifras—. El resto fueron donaciones, así que únicamente les podemos proporcionar el último precio que se ha pagado en subastas. No hemos tenido tiempo y me temo que tampoco estoy capacitada para calcular lo que podrían valer si se vendiesen hoy. —Entonces, después de reflexionar un momento, añadió—: No sé si vale la pena saberlo.

—¿Por qué? —inquirió Brunetti.

— Nunca tendremos suficiente dinero para sustituirlos.

—Pero... ¿y el seguro?

La *dottoressa* soltó una carcajada amarga y desdeñosa.

—No tenemos. Como somos una institución pública, se supone que nos cubre el Estado. Pero eso no sirve para nada. —Antes de que tuvieran ocasión de preguntar, prosiguió—: Hace ocho años sufrimos daños materiales por un reventón en una cañería y aún estamos esperando a que envíen a un inspector para echar un vistazo a los libros. —Y como si eso no fuese suficiente, añadió—: Además, no se hacen cargo de nada que haya sido donado. Insisten en que si no hemos pagado por los libros —explicó al ver sus caras de asombro—, no hemos perdido nada.

Dejó pasar unos instantes para que los dos pudieran hacerse a la idea de lo que les acababa de decir y después se acercó a Brunetti y señaló las cifras de la columna de la derecha.

—Estos son los últimos precios en subasta de dos de las páginas que se ha llevado. Son las únicas que hemos encontrado.

—Disculpe, *dottoressa* —dijo Vianello—, ¿es habitual que la gente coleccione páginas sueltas?

—Sí —respondió ella.

—¿Y lo hace sin más? —preguntó Vianello.

Al ver confusión en el rostro de la mujer, añadió:

—Es decir, si se pueden conseguir los precios de las subastas para este tipo de artículos, es evidente que otros libros ya han... sufrido daños.

—Es una práctica habitual —dijo ella con austeridad—. En cuanto a un libro se le arranca una página, mucha gente decide que vale más aprovechar lo que queda y venderlo por partes. Hasta que no queda nada. Si es de propiedad privada, nadie puede impedírselo.

Se hizo un silencio que Brunetti interrumpió instantes más tarde con una pregunta.

—¿Llegó a conocerlo?

—¿Se refiere a Nickerson?

—Sí. Hablé con él alguna vez, pero solo nos saludamos.

Abrió la carpeta de nuevo y sacó un montón de fichas.

—Estas son sus solicitudes. Aún las conservamos.

Al ver que el comisario dudaba, dijo:

—Sus hombres ya han buscado huellas, las puede tocar.

Brunetti miró brevemente a Vianello y este asintió. Le pasó la mitad y se puso a examinar la letra, ficha por ficha, mientras el inspector hacía lo mismo. Antes de un minuto, ambos levantaron la cabeza y se miraron.

—Es italiano, ¿verdad? —preguntó Vianello.

—Sospecho que sí —afirmó Brunetti.

De pronto sonó el teléfono del comisario. Lo sacó del bolsillo y miró el número.

—Disculpen —dijo, y se levantó.

Sin dar más explicaciones, fue hacia la puerta, salió a la sala donde estaban los libros y cerró tras de sí.

—Brunetti.

—*Commissario*, soy Dalla Lana —oyó decir a uno de los nuevos agentes.

—¿Sí?

—Se ha producido una muerte, *signore*. Una muerte violenta —añadió tras una pausa.

—Si se refiere a un asesinato, Dalla Lana, dígalo tal cual.

—Sí, señor. Disculpe, es el primero con el que trato y no sabía si usar la palabra o no.

—Deme los detalles de que disponga.

—Ha llamado un hombre hace unos diez minutos. Ha dicho que estaba en casa de su hermano, que lo han matado. Que hay mucha sangre.

—¿Ha dicho cómo se llamaba? —preguntó Brunetti, y tomó nota de que Dalla Lana había tardado diez minutos en llamarlo. Diez minutos.

—Sí, señor. Enrico Franchini. Vive en Padua.

Brunetti levantó la mirada y se fijó en las hileras de libros: supervivientes de otras épocas, testigos de la vida.

—¿Ha mencionado el nombre de su hermano? —preguntó con total entereza.

—No, señor. Solo ha dicho que estaba muerto y se ha echado a llorar.

—¿Es en Castello? —preguntó Brunetti, aunque ya sabía la respuesta.

—Sí, señor. ¿Lo conoce?

—No.

Centrándose en los aspectos prácticos, preguntó:

—¿Ha enviado a alguien?

—Estaba buscándole a usted, señor. He llamado a su despacho, pero no estaba allí y no había manera de encontrar su número de *telefonino*. Pero entonces...

—Ahora ya lo tiene —dijo Brunetti—. Llame a Bocchese para que vaya con su equipo. El hombre que llamó, ¿ha dejado su número de teléfono?

—No, señor —dijo Dalla Lana—. Se me ha olvidado pedírselo —añadió en voz baja.

Brunetti se dio cuenta de que los dedos con que sujetaba el móvil se le estaban poniendo blancos, así que aflojó un poco la mano.

—El teléfono de la oficina muestra los últimos números que han llamado. Busque el último, llame y dígale que si sigue en el apartamento debe salir de allí y esperar a que llegue la policía. No hace falta que salga a la calle, se puede quedar dentro del edificio. Pero no quiero que se quede en la casa, ¿está claro?

—Sí, señor.

—Llame a Foa por radio o a su móvil y dígale que deje lo que esté haciendo y que vaya al final de la Punta della Dogana. Yo le esperaré allí dentro de diez minutos.

—Señor, ¿y si no puede ir?

—Podrá.

Brunetti colgó. Abrió la puerta y entró al despacho.

—*Dottoressa*, me temo que debo volver a la *questura* —dijo procurando sonar calmado.

A ella no debió de parecerle inusual, pero Vianello se levantó y se dirigió a la puerta.

—Gracias por atendernos —dijo Brunetti.

Sin darle tiempo a contestar, se dio media vuelta y bajó las escaleras al tiempo que doblaba los documentos que ella le había dado y se los guardaba en el bolsillo.

—¿Qué pasa? —preguntó Vianello un paso por detrás.

Brunetti se apresuró a cruzar el patio, y al salir a la calle y llegar a la *riva* giró a la izquierda en dirección a la Punta della Dogana.

—Franchini ha muerto —dijo.

Vianello dio un traspié pero recuperó el equilibrio rápidamente.

—Su hermano ha llamado desde su apartamento y ha dicho que está muerto. Y que hay mucha sangre.

—¿Qué más ha dicho?

—No he hablado con él: ha llamado a la *questura* y a mí me han telefoneado desde allí.

Avanzaban sin apenas prestar atención a lo que les rodeaba, prácticamente corriendo.

—Bocchese va a ir con sus hombres. Le he dicho a Dalla Lana que llame al hermano y le diga que salga del apartamento.

—¿Adónde vamos? —preguntó Vianello, que se acababa de dar cuenta de hacia dónde caminaban.

Al final de la *riva* no había más que agua y tampoco

había una parada de *vaporetto*. Lo único que podían hacer era regresar hacia la de La Salute o tomar un taxi.

—Le he dicho a Foa que nos venga a buscar aquí.

Pasaron junto a una mujer que iba paseando dos perros. Uno de ellos los persiguió ladrando como un salvaje, aunque lo hacía por diversión y no pretendía atacarles. Pero ¿cómo podía él saber eso?, se preguntó Brunetti.

—*Bassi, smettila* —dijo la señora al perro, y este abandonó la persecución y volvió con ella.

A medida que se acercaban al amplio espacio triangular que hay en el extremo de la isla, Brunetti vio que la lancha policial estaba atracada en la punta.

—¡Foa!

El patrón se acercó a la borda y levantó la mano. Brunetti primero y Vianello después subieron a bordo, Foa retiró la soga del noray y pisó el acelerador. Se apartó de la *riva* y viró hacia la izquierda para regresar hacia Castello.

Ambos se quedaron en cubierta con el patrón, como si el hecho de ver pasar los edificios a toda velocidad fuese a hacer el trayecto más corto. Ninguno de los dos pronunció una palabra, y Foa, viendo cuál era la situación, permaneció en silencio. Tampoco puso la sirena: el ruido era para los novatos. Lo que hizo fue encender la luz azul y sortear el tráfico que encontró hasta que llegaron a la boca del canal de Sant'Elena. Allí disminuyó la velocidad, serpenteó entre los barcos que había amarrados y fue metiéndose por los canales cada vez más estrechos de Castello. Delante de ellos una barcaza metió la punta de la proa en el canal, pero Foa les hizo dar marcha atrás inmediatamente con un toque de sirena.

Al entrar en Rio di Santa Anna, frenó y les dijo que agacharan la cabeza para pasar por debajo de un puente.

Giró a la izquierda, puso punto muerto y se deslizó hasta detenerse detrás de otra lancha policial que había atracado en el margen derecho del canal. Antes de que hubiese cogido la soga, Brunetti y Vianello saltaron a la *riva* y atravesaron el *campo*.

En uno de los bancos vieron a un hombre que no parecía ser consciente de lo que ocurría a su alrededor. Estaba sentado con los hombros caídos y las piernas separadas, mirando la extensión de suelo que le quedaba entre los pies. Tenía un pañuelo blanco en la mano izquierda y, mientras se acercaban a él, se secó los ojos y se sonó la nariz, y volvió a mirar el suelo con los brazos apoyados en las piernas. Brunetti vio que daba una pequeña sacudida y lo escuchó sollozar. Se secó los ojos otra vez, pero ni siquiera el ruido de sus pasos le hizo levantar la mirada.

Brunetti oyó un lamento y el hombre sollozó de nuevo. Estaba apretando los puños, el pañuelo atrapado entre los dedos. Se acercó al banco y se detuvo a un metro de él.

—*Signor* Franchini —dijo en un tono normal.

El lamento continuó y el hombre se volvió a secar las lágrimas. Brunetti se agachó y miró al hombre a los ojos, desde su misma altura.

—*Signor* Franchini —repitió elevando un poco la voz.

El hombre se sobresaltó, miró a Brunetti, se irguió y se recostó en el banco. El comisario levantó la mano con la palma hacia el señor.

—Somos agentes de policía, *signore*. No se asuste.

El hombre se le quedó mirando en silencio. Aparentaba tener cincuenta y tantos años, casi sesenta, y llevaba un traje de lana con la corbata bien anudada, como si viniese de la oficina. El pelo ralo y canoso le caía sobre la frente estrecha. Tenía los ojos marrones hinchados por el llanto, y la nariz larga y fina.

—¿*Signor* Franchini? —dijo Brunetti una vez más.

Le empezaban a doler las rodillas, así que se echó hacia delante y apoyó una mano en el suelo. Se alzó poco a poco sin sentir ningún alivio.

—¿Podemos ayudarlo en algo? —preguntó, y se volvió hacia Vianello, que se había parado unos metros más allá.

Le hizo una señal para que se acercase y Vianello lo hizo lentamente, hasta llegar al costado de su superior. No obstante, dejó suficiente espacio entre ambos para que un hombre pudiera salir corriendo por el hueco.

—¿Quién es usted? —preguntó el hombre.

Se sorbió la nariz, se sonó los mocos y dejó caer las manos.

—Soy el *commissario* Guido Brunetti y este es el *ispettore* Vianello. Acabamos de saber lo de su hermano, por eso hemos venido.

Se volvió y señaló las dos lanchas amarradas una detrás de la otra, como si eso fuese prueba de que decía la verdad.

—¿Lo han visto? —preguntó el hombre.

Brunetti negó con la cabeza.

—No. Acabamos de llegar.

—La escena es horrible —dijo.

—¿Es usted su hermano? —preguntó Brunetti.

El hombre asintió.

—Sí. El pequeño.

—Igual que yo.

—No es fácil —dijo Franchini.

—No —convino Brunetti.

—Nunca son lo suficientemente precavidos.

Franchini se quedó callado, sorprendido por lo que él mismo había dicho, y se llevó el pañuelo a la cara con ambas manos. Soltó un único gemido corto y después bajó las manos.

—¿Le importa que me siente? —preguntó Brunetti—. Ya no me aguantan las rodillas como antes.

—Siéntese, por favor —dijo Franchini, y se movió hacia la izquierda para hacerle sitio.

Brunetti se sentó, suspiró y estiró las piernas. Hizo un gesto con la cabeza y Vianello echó a caminar hacia el edificio sin que el otro hombre le prestara atención.

—Así que ha venido desde Padua —dijo Brunetti con tono distendido.

—Sí. Aldo y yo siempre hablamos los martes por la noche. Pero anoche no contestó al teléfono, por eso pensé que lo mejor era venir a ver qué pasaba.

—¿Por qué creyó que pasaba algo? —preguntó el comisario con familiaridad.

—Porque llevamos dieciséis años hablando todos los martes a las nueve de la noche.

—Entiendo.

Brunetti asintió para confirmar que Franchini había sido muy sensato al acudir. Se volvió hacia él como si estuvieran manteniendo una conversación normal y se dio cuenta de que, a pesar de que estaba delgado, tenía una papada que le pareció fuera de lugar. Y las orejas grandes.

—¿Ha llegado por la tarde?

—He tenido que ir a trabajar. No salimos hasta las tres.

—Oh, ¿a qué se dedica?

—Soy profesor, de latín y griego. En Padua.

—Vaya —dijo Brunetti—, eran mis asignaturas favoritas.

—¿De verdad? —le preguntó Franchini volviéndose hacia él con expresión de verdadera alegría.

—Sí. Me gustaba la precisión de ambas lenguas, sobre todo la del griego. Todo tiene su lugar.

—¿Siguió con ello después?

Brunetti negó con la cabeza, lamentándolo sinceramente.

—Me temo que al final me dio pereza. Aún leo a los autores, pero en italiano.

—No es lo mismo —dijo Franchini—, pero está bien que los siga leyendo —añadió al instante como si temiese herir los sentimientos de un alumno.

Brunetti dejó pasar un rato.

—¿Tenían su hermano y usted una relación muy cercana?

Franchini tardó aún más rato en contestar.

—Sí. —Otra pausa—. Y no.

—Como mi hermano y yo —dijo Brunetti, y esperó un momento antes de seguir—. ¿Qué les unía?

—Estudiamos lo mismo —dijo Franchini mirando al comisario—. Aunque él prefería el latín.

—¿Y usted prefería el griego?

Franchini se encogió de hombros a modo de asentimiento.

—¿Qué más?

Vio que Franchini estaba doblando el pañuelo en un cuadrado perfecto, como si la aparente normalidad de la conversación hubiese eliminado la necesidad de llorar.

—Nos criaron en la fe. Nuestros padres eran muy religiosos.

Como su padre era un fiero ateo, Brunetti asintió para indicar que él también compartía la experiencia.

—A Aldo le interesaba más que a mí —dijo Franchini apartando la mirada—. Él atendió a su vocación y se hizo cura.

Todavía estaba doblando el pañuelo, que ya tenía el tamaño de un paquete de cigarrillos.

—Pero después la perdió. Me dijo que un día se despertó y había perdido la vocación. Era como si la hubiese guardado en alguna parte antes de irse a dormir y a la mañana siguiente fuese incapaz de encontrarla.

—¿Qué pasó? —preguntó Brunetti.

—Lo dejó. Se salió de cura y a causa de eso perdió el empleo de maestro. Pero no podían despedirlo, al menos no legalmente: tuvieron que fingir que se prejubilaba y darle una pensión.

—¿Cómo podía permitirse vivir aquí? —preguntó Brunetti.

Sabía que Franchini entendería que se refería al dinero.

—El apartamento era de mis padres y ellos nos lo dejaron a nosotros. Él se mudó aquí y yo me quedé en Padua.

—¿Usted tiene a su familia allí?

—Sí —dijo, pero no ofreció más información.

—Entonces, le llamaba todos los martes...

Franchini asintió.

—Aldo cambió cuando perdió el trabajo; era como si hubiese perdido todo lo que le importaba, excepto el latín. Se pasaba el día leyendo.

—¿En latín?

—Le busqué un sitio donde pudiera leer. Dijo que quería leer a los Padres de la Iglesia.

—¿Para recuperar la fe?

Oyó el roce de la tela de la chaqueta contra el respaldo del banco cuando Franchini se encogió de hombros.

—No me lo dijo.

Antes de que Brunetti se lo pudiera preguntar, añadió:

—Y yo no se lo pregunté.

—Así que pasaba los días leyendo a los Padres de la Iglesia —dijo Brunetti, a medias entre una afirmación y una pregunta.

—Sí. Y luego esto —dijo levantando la mano con la que no sujetaba el pañuelo para señalar vagamente el edificio que tenían detrás.

13

Desde atrás, como en respuesta al gesto de Franchini, les llegó el sonido de alguien abriendo una ventana. Se oyó una voz que decía: «*Commissario!*».

Brunetti se levantó y se volvió, molesto por que alguien interrumpiese de aquella manera la tranquila conversación que estaba manteniendo con Franchini. En la ventana había un agente de uniforme; estaba asomado y agitando la mano, como si Brunetti no supiese que estaban allí arriba. Este levantó la mano e hizo un gesto con el dedo que simulaba una rueda, para indicarle que ya subía o que lo haría enseguida.

Cuando volvió a mirar a Franchini, vio que de nuevo estaba agachado, observando el suelo con los brazos apoyados en las rodillas. No parecía prestar atención a Brunetti, que sacó el móvil y llamó a Vianello.

—¿Puedes enviar a alguien para que se quede con el *signor* Franchini? —dijo cuando el inspector contestó, y colgó antes de que este pudiera decir ni palabra.

Unos minutos más tarde, el comisario sintió cierto alivio al ver a Pucetti salir del edificio. Cuando el joven llegó hasta el banco, Brunetti se agachó para hablar con Franchini.

—*Signore*, el agente Pucetti se va a quedar con usted hasta que yo regrese.

Franchini lo miró a él y después al joven. El agente inclinó la cabeza levemente y Franchini volvió a mirar a Brunetti y después el suelo. Por último, el *commissario* le dio una palmadita en el brazo a Pucetti, pero no dijo nada.

Dentro del edificio, vio a un agente al que reconocía junto a la puerta del tercer piso que estaba abierta; creía que se llamaba Staffelli. Este saludó a Brunetti y después apretó los labios y enarcó las cejas formando una expresión que tanto podría significar sorpresa frente al comportamiento humano, aceptación de cómo funcionaba el mundo o cualquier cosa que cupiese entre esas dos. Brunetti alzó la mano en respuesta a su saludo y a lo que fuera que pretendiese decir. No se veía a Vianello por ninguna parte.

Dentro vio a Bocchese, el jefe del equipo científico. Estaba vestido con el habitual traje y calzado de papel, de pie en el quicio de una puerta, mirando hacia el interior de una habitación de donde de vez en cuando salía el *flash* de una cámara.

—Bocchese —dijo Brunetti.

El técnico se volvió hacia él y lo miró, lo saludó con la mano y se giró de nuevo al tiempo se producía otra ráfaga de luces. Brunetti dio algunos pasos, pero se detuvo al oír a Bocchese resoplar; este metió la mano en el bolsillo y sacó dos sobres de plástico transparentes.

—Ponte esto —le dijo, y se los pasó.

Sabiendo cuáles eran las normas del técnico, Brunetti salió a las escaleras. Se agarró a la barandilla con una mano mientras con la otra se cubría los zapatos y luego se puso los guantes. Le dio los paquetes vacíos a Staffelli y entró otra vez en el apartamento.

Bocchese ya no estaba en la puerta, así que Brunetti ocupó su puesto. Desde otros puntos de la vivienda le llegaban las voces de varios hombres y una le pareció la de Vianello. Dos técnicos vestidos de blanco estaban trasladando el equipo fotográfico hacia el extremo de la habitación, lejos del cadáver apoyado contra la pared.

«Así que este era Tertuliano», pensó al ver aquel cuerpo tirado en el suelo que le parecía tan sorprendentemente pequeño. De no haber habido tanta sangre, podría haber sido la imagen de un borracho que se había desmayado mientras buscaba la cama, o que se había deslizado por la pared hasta quedar tumbado con un hombro y la cabeza apoyados en ella. No cabe duda de que la escena podía haber sido esa, si no hubiese una opción muy diferente escrita en la pared. Una mano derecha ensangrentada había dejado tres huellas ascendentes, como si el hombre se hubiese apoyado al intentar alzarse; sin embargo, otro manchurrón alargado hecho por la misma mano anulaba las otras tres en su trayecto hacia el suelo, como el trazo central rojo del corazón de un Shiraga.

El muerto estaba apoyado con un hombro contra la pared; tenía los brazos abiertos, la cabeza en un ángulo inverosímil y la rodilla doblada bajo su otra pierna. Si hubiese mostrado señales de vida, cualquiera que lo viese actuaría por puro instinto y saltaría para apartarlo y liberarle la cabeza y la rodilla atrapada. No obstante, un segundo de reflexión podía convencer al más optimista de que aquel menguado ser inerte carecía de vida.

Brunetti había sido testigo de ese fenómeno más veces de las que era capaz de recordar: cuando el espíritu abandonaba el cuerpo, parecía llevarse consigo parte de su masa y sustancia, y lo que quedaba era un ser más pequeño del que había habitado. Tiempo atrás, aquel hombre había sido joven; había sido cura, creyente, lector. Pero se había convertido en una silueta retorcida con la cara manchada de sangre y la chaqueta arrebujada debajo de los hombros. La suela del zapato izquierdo se había soltado; más arriba se veía un calcetín gris oscuro y la piel blanquecina de un hombre mayor.

Un metro más allá, dos manchas de sangre seca oscurecían el parqué. Una de ellas tenía la marca de un pie en un extremo y de ella salían tres huellas parciales, todas del pie derecho, que se dirigían hacia él. No había una cuarta.

De pronto se produjo otra ráfaga de luz y Brunetti alzó la mano instintivamente para protegerse de ella. Se volvió hacia los dos técnicos.

—¿Quién va a venir?

—Seguramente Rizzardi —contestó el más alto de los dos, pero no especificó por qué dudaba.

—¿Cuándo han llegado? —preguntó Brunetti.

El hombre se remangó el traje blanco con una mano enguantada.

—Hará veinte minutos.

—¿Qué más hay?

—Estaba en la otra habitación —dijo el otro interrumpiendo la conversación antes de mover el trípode de la cámara hacia la izquierda.

—¿Cómo lo sabe?

Hizo algunas fotos, y Brunetti, que ya se había acostumbrado al *flash*, no se molestó en protegerse los ojos. Antes de responderle, volvió a mover la cámara hacia la izquierda.

—Eche un vistazo, *commissario* —dijo señalando la puerta que le quedaba a la izquierda—. Verá a qué me refiero.

Brunetti se acercó a la puerta y miró el interior de la habitación curioso por saber qué historia le iban a contar las señales. En un rincón había un sillón de pana de color verde oscuro y detrás una lámpara de lectura con una pantalla de cristal blanco. Junto al sillón había una mesita redonda con una lamparita. Las dos estaban encendidas, y junto a la de la mesita descansaba un libro abierto colocado boca abajo, como si el lector hubiera interrumpido la lectura momentáneamente para abrir la puerta o contestar el teléfono. Detrás del sillón había una librería grande cargada de libros.

La acústica del apartamento le trajo las voces de dos hombres que por fin identificó como Vianello y Bocchese.

—¿Están tomando huellas en todas las habitaciones? —oyó decir a Vianello.

—Por supuesto —respondió Bocchese.

Después de eso supuso que se habían desplazado, porque las voces le llegaron amortiguadas e indistintas.

Brunetti se volvió hacia la primera estancia y vio que el *dottor* Rizzardi, el patólogo, estaba en la entrada. Intercambiaron un par de saludos silenciosos. Alto, delgado y con el pelo más cano que la última vez que lo había visto, Rizzardi miró a Brunetti, pero no pudo evitar desviar la atención hacia el paquete roto que hasta entonces contenía la vida de Franchini.

Rizzardi ya llevaba los protectores de plástico en los zapatos y se estaba poniendo el segundo guante, el de la izquierda. Se acercó al cadáver y se quedó de pie junto a él durante un tiempo, mientras Brunetti se preguntaba si estaba pronunciando una oración por su espíritu o deseándole paz para el viaje hacia el otro mundo; hasta que recordó que Rizzardi le había dicho en una ocasión que no creía en otra vida, no después de lo que había visto en esta.

El patólogo flexionó una rodilla y se inclinó para ver al muerto más de cerca. Tendió la mano y le cogió una muñeca. Para no faltar a su famosa meticulosidad, le estaba tomando el pulso. Brunetti apartó la vista un instante y, cuando volvió a mirar, el patólogo se había acercado aún más al cadáver para bajarle el hombro al suelo, donde quedó tendido. Intentó estirarle la pierna, pero no pudo.

Rizzardi se irguió parcialmente y sin acabar de levantarse se acercó a la cabeza. Apoyó de nuevo la rodilla en el suelo y, tras ladearla para tener mejor acceso, examinó la nuca. Finalmente se puso en pie y se acercó a Brunetti.

—¿Qué ha pasado? —le preguntó este.

—Le han dado una patada. Alguien que llevaba botas o unos zapatos muy pesados.

—¿En la cabeza?

—Sí. Es la causa de la muerte. Pero también le golpearon en la cara. Tiene un corte en la mejilla derecha que llega prácticamente al hueso y al menos cuatro dientes rotos. Pero ha muerto por las que recibió en la nuca. —Se volvió y señaló la escena—. Intentó levantarse, Dios sabe por qué, pero no pudo. O puede que el atacante se lo impidiera.

—Pero... era un hombre mayor —protestó Brunetti.

—La gente mayor son buenas víctimas —dijo Rizzardi mientras se quitaba los guantes.

Los colocó cuidadosamente palma con palma y los metió dentro del sobre transparente de donde los había sacado, antes de guardárselos en el bolsillo.

—Son débiles y no se pueden defender.

—Se supone que la gente debe respetarlos —dijo Brunetti—. Se supone que la gente es... de otra manera.

Rizzardi lo miró.

—¿Sabes, Guido? A veces me resulta difícil creer que te dediques a esto.

A lo largo de los años, Brunetti había sido testigo del respeto, por no decir veneración, con que Rizzardi trataba a los muertos a los que debía atender, así que no dijo nada.

—Es difícil determinar cuántas patadas ha recibido —dijo Rizzardi—. Luego lo sabré seguro.

—«El placer de los que te hacen daño reside en tu dolor» —recitó Brunetti casi sin querer.

—¿Perdona?

—Lo escribió Tertuliano —explicó.

—¿Tertuliano?

—El teólogo.

Rizzardi suspiró procurando mostrar toda la paciencia del mundo.

—Ya sé quién es Tertuliano, Guido. Lo que no sé es por qué lo citas ahora.

—Lo llamaban así —dijo Brunetti señalando al hombre muerto con un gesto de la barbilla.

—¿Lo conocías?

—Me habían hablado de él.

—Ah —dijo Rizzardi como única respuesta.

—Pasaba los días leyendo a los Padres de la Iglesia en la biblioteca Merula.

—¿Por qué?

—Quizá porque los tenían en latín. Y por ir a alguna parte.

—Se puede ir al cine, a un restaurante —comentó el patólogo.

—Es que fue cura —explicó Brunetti—, así que quizá se sentía más a gusto leyendo que yendo a ver *Bambi*.

—¿La gente todavía va a ver *Bambi*? —preguntó Rizzardi.

—No hablaba literalmente, Ettore. Es la primera película que se me ha ocurrido.

—Oh.

Brunetti consideró que ese era el final de la conversación; el silenció se alargó, y justo cuando estaba pensando que ya era hora de bajar y seguir hablando con el hermano de Franchini, Rizzardi dijo:

—Y ahora está muerto.

Después de eso, el patólogo se palpó los bolsillos, saludó a Brunetti con un gesto de la cabeza y salió de allí.

14

Después de decirle a Vianello que se quedase hasta que viniera la lancha a llevarse el cadáver, Brunetti bajó las escaleras y salió al *campo*. Al acercarse al banco, vio la parte trasera de la cabeza de Pucetti junto a la de Franchini y, cuando se dio cuenta de que estaban vueltos el uno hacia el otro, se detuvo a observar. Pucetti movía los hombros mínimamente, en sincronía con los gestos que hacía con las manos al hablar. Franchini asintió y se cruzó de brazos. Pucetti levantó el suyo para señalar uno de los edificios que había al otro extremo del *campo* y Franchini asintió de nuevo.

Al acercarse, oyó lo que decía:

—Desde los siete hasta los once.

No alcanzó a oír la respuesta de Franchini.

—A Santa Croce, junto a San Basilio. El apartamento era más grande y para entonces ya éramos tres críos. —Pucetti hizo una pausa larga—. Entonces ya me pusieron en una habitación para mí solo.

Franchini dijo algo que Brunetti tampoco entendió.

—Son dos chicas, así que dormían juntas. Pero me hubiese gustado tener un hermano. —Entonces, acordándose de la situación, dijo—: Lo siento, *signore*. No...

Brunetti vio que Franchini se giraba para darle una palmadita en la rodilla a Pucetti, pero siguió sin oír nada. Notó que al joven se le ponía el cuello rojo y se alegró de ver que aún era capaz de sentir vergüenza. Se desvió hacia la izquierda y se acercó a ellos desde un costado.

Pucetti se puso en pie y lo saludó, pero Franchini lo miró sin dar muestras de haberlo reconocido. Brunetti le dijo al agente que ya podía volver arriba y se sentó en su sitio.

Dejó pasar un minuto, hasta que Franchini le hizo una pregunta.

—¿Lo ha visto?

—Sí, *signore*. Siento mucho que le haya ocurrido algo así a su hermano. Y a usted.

Franchini asintió, como si pronunciar las palabras le costara demasiado trabajo.

—Me ha contado que estaban unidos.

Franchini se recostó y cruzó los brazos, pero la postura debió de parecerle incómoda y se echó de nuevo hacia delante para seguir observando el pavimento.

—Sí, eso he dicho.

—Que estudiaron las mismas asignaturas y que de jóvenes eran religiosos —le recordó Brunetti—. ¿Estaban tan unidos como para hablar de sus cosas?

Después de unos instantes, Franchini contestó:

—No hay mucho de qué hablar. Estoy casado pero no tenemos hijos. Mi mujer es doctora. Pediatra. Yo sigo dando clases, pero no por mucho tiempo.

—¿Por la edad?

—No. Porque los chicos ya no quieren estudiar latín ni griego. Quieren aprender cosas sobre ordenadores. —Antes de que Brunetti pudiera hablar, Franchini continuó—: Eso es lo que más les interesa del mundo. ¿De qué les sirven el latín y el griego?

—Para disciplinar la mente —dijo el comisario como de memoria.

—Vaya tontería —contestó Franchini—. Esas dos lenguas te pueden enseñar cómo es una estructura ordenada, pero eso no es lo mismo que disciplinar la mente.

Brunetti tuvo que admitir que tenía razón; en cualquier caso, tampoco creía que la mente necesitase disciplina.

—¿Su hermano se casó?

Franchini negó con la cabeza.

—No. Cuando se salió de cura ya era tarde para todo eso.

Brunetti decidió no hurgar en esa afirmación.

—¿Podía vivir cómodamente con su pensión?

—Sí. Tenía muy pocos gastos. Como le he dicho, la casa es nuestra y él podía vivir allí gratis. Solo tenía que pagar la luz y el gas.

Asintió unas cuantas veces mirando el suelo, como para convencer al pavimento de que su hermano había vivido con comodidad.

—Entiendo —dijo Brunetti—. ¿Sabe si aquí tenía amigos, *signor* Franchini? —Al ver que su interlocutor apretaba los puños, añadió—: Siento tener que hacerle estas preguntas, pero es necesario que sepamos todo lo posible sobre él.

—¿Y con eso van a hacer que vuelva? —preguntó Franchini, como tantos otros en las mismas circunstancias.

—No, me temo que no hay nada que vaya a conseguir eso. Los dos lo sabemos. Pero no debemos permitir que estas cosas ocurran...

—Ya ha ocurrido —le interrumpió Franchini.

—*Nihil non ratione tractari intellegique voluit.*

La frase en latín le vino a la cabeza sin quererlo, pero Franchini hizo caso omiso. Se hizo a un lado y se volvió para ver mejor a Brunetti.

—No hay nada que Dios no desee que sea comprendido e investigado por la razón —dijo sin poder esconder su asombro—. ¿Cómo sabe eso?

—Lo aprendí en la escuela hace muchos años y al parecer sigue ahí, en mi mente.

—¿Cree que es verdad?

Brunetti negó con la cabeza.

—Ya hay suficientes personas que nos dicen lo que Dios quiere o desea. Yo no tengo ni idea.

—Pero ha citado a Tertuliano. ¿Cree que aún debemos obedecerle?

—No sé por qué lo he dicho, *signor* Franchini. Si lo he ofendido, lo siento.

La expresión del hombre se suavizó hasta formar una sonrisa.

—No, no me ha ofendido. Me ha sorprendido. Aldo solía hacer cosas así constantemente; no solo citaba a Tertuliano, sino también a Cipriano y Ambrosio. Tenía una cita para todo —concluyó, y volvió a secarse los ojos.

—*Signore* —empezó a decir Brunetti—, creo que lo correcto es intentar averiguar quién mató a su hermano. No por motivos relacionados con Dios, sino porque los actos como este están mal y se deben castigar.

—¿Por qué? —preguntó, sin más.

—Porque sí.

—Eso no es un motivo —dijo Franchini.

—Para mí sí —respondió Brunetti.

Franchini lo miró fijamente a la cara y después se recostó y apoyó los brazos por encima del respaldo del banco; tenía aspecto de estar tan relajado y despreocupado como quien no tiene nada mejor que hacer que tomar el sol.

—Por favor, *signore*, cuénteme lo que sabe de su hermano.

Franchini echó la cabeza atrás para que le diese el sol y, después de un rato, dijo:

—Mi hermano era un ladrón y un chantajista. También era un mentiroso y un farsante.

Brunetti se quedó mirando la lancha policial: Foa estaba de pie en cubierta, inclinado sobre las páginas rosas de *La Gazzetta dello Sport*. Se acordó de algo que Paola decía a menudo y que, según ella, era un comentario de Hamlet sobre su madre. Decía que uno podía «sonreír y sonreír, y ser un villano».

—Cuénteme más, por favor —le pidió.

—La verdad es que no hay mucho que contar. Aldo siempre decía que cambió cuando perdió la fe, pero eso también era mentira. Jamás tuvo fe en nada más que en lo listo que se creía y tampoco tuvo vocación verdadera: hacerse cura era para él una forma de tener éxito en la vida. Pero no le funcionó y acabó dando latín a adolescentes en un internado, en lugar de ser obispo y tener decenas de personas a su servicio.

—¿Era eso lo que él quería?

Franchini irguió la cabeza y miró a Brunetti.

—No se lo llegué a preguntar. Y tampoco creo que él lo supiese. Creía que ser cura le iba a ayudar a ser alguien importante, por eso quiso entrar en el clero.

Brunetti no tenía ni idea de a qué se refería con ser importante, pero no se vio capaz de preguntárselo. Quizá tuviera miedo de lo que le pudiese contestar, sobre todo después de lo que Franchini había dicho sobre su hermano. Se dio cuenta de que el único propósito de su última pregunta era que Franchini siguiera hablando mientras él recomponía la imagen que se había hecho del fallecido. Aldo Franchini ya no era un hombre pío en busca de la verdad en la religión, sino un mentiroso, un ladrón, un farsante y un chantajista. No era de extrañar que no hubiese denunciado a Nickerson al personal de la biblioteca.

Brunetti pensó en la pequeña figura que había visto aplastada contra la pared y se sintió aliviado al comprobar que aún sentía cierta pérdida e indignación porque alguien hubiese hecho sufrir a Tertuliano y lo hubiese matado, a pesar de lo que su hermano acababa de decir de él.

Antes era un cura que enseñaba en un internado y ahora, un chantajista.

—Todo esto que me acaba de contar sobre su personalidad, ¿tiene algo que ver con que dejase de dar clases?

Franchini fue incapaz de disimular su sorpresa, y el *commissario* lo observó mientras seguía el trayecto verbal que le había llevado a hacer aquella pregunta.

—Sí. Es la explicación más obvia, ¿verdad? —añadió un instante después.

—¿Se lo dijo a usted?

—No, claro que no. A mí nunca me decía la verdad sobre nada.

—Entonces, ¿cómo se enteró?

—Oh, porque el mundo es un pañuelo. Sobre todo entre los que enseñamos estas materias. Yo conocía al hombre que lo sustituyó, que no era cura. Él me contó lo que ocurrió.

—¿Y qué fue?

—Aldo estaba chantajeando a dos curas.

—Ah —dijo Brunetti con un suspiro—. ¿Qué pasó?

—Uno de los chicos les contó a sus padres lo de los curas y ellos avisaron a la policía.

Franchini hizo una pausa, como para revivir el momento en que descubrió los hechos. Mientras tanto, Brunetti hacía memoria buscando un incidente de aquel tipo que hubiese tenido lugar en los últimos años en Vicenza, pero no encontró nada: no era inusual que los arrestos de religiosos no saliesen a la luz.

—Los dos curas fueron arrestados y entonces le contaron a su superior lo del chantaje.

—¿Y él se lo contó a la policía?

—No creo, porque a Aldo no le pasó nada. —Franchini volvió a mirar el suelo y le dio una patada a una colilla—. Es muy raro, ¿sabe? Durante un tiempo me consolé pensando que él solamente los había chantajeado y que eso quería decir que no les había hecho nada a los muchachos.

Levantó la mirada y sonrió a Brunetti con tristeza antes de volver a fijar la mirada en el pavimento.

—Pero lo que significa en realidad es que yo estaba justificando el chantaje.

Ambos tuvieron tiempo de reflexionar sobre eso unos instantes.

—Cuando yo era niño estaba muy orgulloso de él.

—Perdió el empleo —dijo Brunetti cuando Franchini llevaba un rato sin hablar.

—Sí.

—¿Qué pasó con los otros dos curas?

—Mi amigo me dijo que los enviaron a un retiro durante un mes.

—¿Y después de eso?

—Imagino que los mandarían a otras escuelas.

—¿Sabe si su hermano les hizo lo mismo a otras personas?

Franchini negó con la cabeza.

—No lo sé, pero siempre vivió bien y se permitía buenas vacaciones.

—¿Siendo cura?

—Tenía mucha autonomía, sobre todo mientras estuvo en el internado. Trabajó allí durante quince años. A mí me decía que daba clases particulares. —Miró a Brunetti y, al ver su confusión, dijo—: Para justificar el dinero.

—Ah.

Como si estuviera perdiendo la paciencia porque el comisario no parecía capaz de hacer las preguntas más adecuadas, dijo:

—Uno de los curas era el director del internado.

Esa vez fue Brunetti quien asintió.

—¿Sabe si hizo más cosas por el estilo?

—Que yo sepa no chantajeó a nadie más, pero sé que robaba.

—¿Me puede dar un ejemplo?

—Cosas que había en casa de mis padres.

—¿Qué cosas?

—Cuatro cuadros buenos que llevaban varias generaciones en la familia. Cuando mis padres murieron y Aldo se mudó a la casa, aún estaban allí. Ahora ya no están.

Antes de que Brunetti pudiera preguntárselo, Franchini explicó:

—No, no me he dado cuenta hoy de que han desaparecido. Lo vi hace años.

—¿Cuántos años?

—Dos. Él llevaba uno en la casa y ya habían desaparecido.

—¿Le preguntó por ellos?

Franchini suspiró y se encogió de hombros.

—¿De qué hubiera servido eso? Me hubiera mentido y ya está. Además, no tengo a nadie a quien dejárselos; sería una preocupación más. —Entonces, con un tono más alegre, añadió—: Si el dinero le hacía feliz, me alegro por él.

Brunetti le creyó.

—¿Y qué hay de las mentiras?

—Toda su vida era una gran mentira —dijo Franchini, cansado—. Todo era fingido: su vocación eclesiástica, lo de ser un buen hijo, ser un buen hermano.

A eso siguió un largo silencio que Brunetti no osaba romper.

—Lo único cierto era su amor por el latín. Le gustaba de veras, igual que todo lo que estaba escrito en esa lengua.

—¿Era buen maestro?

—Sí. Era lo único a lo que se dedicaba con pasión. Conseguía inspirar a los muchachos que tenía de alumnos, hacerles ver la rígida claridad del lenguaje; les hacía entender la manera en que este une ideas y palabras.

—¿Eso se lo confesó él a usted?

Franchini se paró a pensar antes de responder.

—No, me lo enseñó. Cuando yo empecé el *liceo*, él ya estaba en la universidad, y durante los primeros cursos me ayudó; me ayudó a darme cuenta de lo perfectas que son ambas lenguas. —Reflexionó un instante sobre eso y después añadió—: Me mostró la pasión. —Y después, con voz más decidida—: He conocido a algunos de sus viejos alumnos y todos dicen que las clases de Aldo eran fascinantes y que con él aprendieron más que con cualquier otro profesor. Nos enseñó a amar las lenguas y nosotros lo queríamos por ello.

La manera en que Franchini usó la palabra hizo que Brunetti se pusiera nervioso.

—¿Cree que hay alguna posibilidad de que su hermano haya...? Quiero decir, con los chicos.

—Oh, no. Aldo amaba a las mujeres. Tenía amantes por todo el Véneto. Un día que había bebido bastante me contó que les había sacado una fortuna. Les pedía que donasen dinero a la Iglesia.

—¿Sabían que era cura?

—Algunas, no todas.

—Vaya —dijo Brunetti—. ¿Usted estaba al tanto de todo esto?

—He tenido mucho tiempo para darme cuenta. Toda la vida —dijo Franchini y, por primera vez, Brunetti le adivinó un matiz de traición en la voz.

—Sí —convino el comisario—. Pero ¿cómo se enteró de lo que hacía él?

—Por amigos que teníamos en común —dijo Franchini—. O, mejor dicho, por amigos míos que lo conocían a él.

Volvió a apoyarse en el respaldo y estiró las piernas.

—También solía presumir de ello —añadió con cierta incomodidad—; yo era el único delante de quien él podía presumir de las mujeres que conquistaba, alardear del dinero. Se creía mucho más inteligente que los demás.

—¿Cuándo pasó eso?

—Solía hacerlo cuando nos veíamos, pero llegó un momento en que yo no podía soportarlo más; sobre todo después de que desapareciesen los cuadros. Así que dejé de visitarlo.

Franchini miró los edificios del otro lado del canal.

—Crecimos aquí. Esto era nuestro hogar.

Desplegó el pañuelo y se secó la cara con él como si fuese una toalla, y después lo guardó en el bolsillo del pantalón.

—Durante los últimos años, el único contacto que teníamos era por teléfono. No sé por qué, pero no podía dejar de llamarlo. Quizá pensaba que tarde o temprano se escucharía a sí mismo y se daría cuenta de las cosas que decía. Pero no fue así. Creo que realmente acabó creyéndoselo; pensaba que era tan astuto que podía burlarse de cualquiera.

Se quedó observando las casas del otro lado del canal y las señaló.

—El agente de antes, el joven, me ha dicho que creció aquí. Sigue siendo un buen barrio —añadió enseguida con voz más sobria.

Irguió la espalda y se dio sendas palmadas en los muslos, gesto que indicaba actividad o el deseo de ella.

—¿Qué tengo que hacer?

—Me temo que tendrá que identificarlo —dijo Brunetti.

Franchini se giró hacia él con terror evidente.

—Creo que no puedo volver a verlo.

Se le llenaron los ojos de lágrimas, aunque él no se dio cuenta.

—Oficialmente, *signor* Franchini. Lo siento mucho, pero la ley nos obliga. Tiene que identificarlo formalmente.

Franchini se acomodó de nuevo en el banco y negó con la cabeza.

—Creo que no puedo. De verdad.

Brunetti vio que le caían lágrimas por las mejillas y dijo:

—Será suficiente con que vaya a ver al doctor Rizzardi al hospital y firme la documentación. Yo hablaré con él para que no tenga que verlo otra vez.

Entonces se le ocurrió una cosa.

—No será necesario que lo haga hasta mañana o pasado; si nos dice a qué hora llega su tren desde Padua,

Pucetti, el joven con quien hablaba antes, lo irá a recoger a la estación con una lancha.

No se vio capaz de decirle que el *dottor* Rizzardi estaría en el depósito de cadáveres, así que solo añadió:

—Él lo acompañará al despacho del doctor.

La expresión de Franchini se relajó.

—¿Puedo irme? —preguntó como si estuviera sorprendido de no haberlo preguntado antes, y se levantó.

—Sí —dijo Brunetti, que se puso en pie y cogió al señor del brazo—. *Signore*, la lancha lo llevará hasta la estación.

Mostrándose reacio a aceptar el ofrecimiento, Franchini se quedó clavado en el sitio.

—Hace buen día, puedo ir caminando.

—Es cierto, pero el camino hasta allí es largo y creo que será más cómodo en la lancha.

Brunetti le soltó el brazo y señaló a Foa.

—Es usted muy amable —dijo Franchini.

No se le ocurrió nada que contestar.

—Me gustaría pedirle un favor —dijo al final.

—Dígame.

—Me gustaría que pensase en las conversaciones que ha mantenido con su hermano durante los últimos meses.

—Llevo dos horas haciendo justamente eso, *signore* —dijo Franchini—. Discúlpeme, he olvidado su rango.

—*Commissario*.

—*Commissario* —repitió Franchini formalmente.

—¿Notó algún cambio?

Franchini dio un paso en dirección a la lancha y Brunetti, que temía haber forzado demasiado la situación, se hizo a un lado. Franchini se detuvo, avanzó otro paso, y finalmente se paró y miró a Brunetti, el más alto de los dos.

—Estaba ilusionado con algo, pero no sé con qué. No se lo pregunté y Aldo no me lo contó. Pero no cabía en sí de la emoción. Sé que me lo quería contar, pero yo no quería saber nada.

—¿Había ocurrido algo así antes? —preguntó Brunetti. Franchini asintió.

—A veces era como un cazador: se ilusionaba mucho al encontrar algo o a alguien nuevo. Yo ya lo había visto todo antes y ya no podía más con ello, así que cuando me preguntó si quería saber qué estaba haciendo, cambié de tema. Le pregunté cómo estaba y qué estaba leyendo. No quería hablar de nada más con él.

—Entiendo —dijo Brunetti, aunque en realidad se estaba preguntando cómo conseguir que le revelara más cosas: sentimientos, impresiones, la sensación que tenía sobre lo que su hermano le quería contar.

—Una vez, hará unos seis meses, me dijo que llevaba años esperando y que por fin había encontrado a alguien con quien salir a cazar. —Hizo una pausa y de pronto un recuerdo lo sorprendió—. «Al gallinero», dijo. Esas fueron sus palabras.

—¿Qué quería decir? —preguntó Brunetti, aunque tenía la sensación de que ya lo sabía.

—No lo sé: no se lo pregunté. No quería saberlo.

Franchini iba subiendo la voz con cada frase. De pronto echó a andar hacia la lancha.

—Creo que voy a aceptarle el ofrecimiento, *commissario*.

15

Al regresar al apartamento de Franchini, Brunetti se topó con los dos agentes de homicidios en la entrada cerrando las cajas de materiales. Todavía llevaban puestos los trajes protectores y no se los iban a quitar hasta que volviesen a la *questura*.

De una puerta que llevaba a la parte trasera de la casa salieron Pucetti y Vianello, ambos con patucos y guantes. Detrás venía Bocchese, que también llevaba el traje completo.

—¿Has echado un vistazo en la otra habitación? —preguntó Vianello a Brunetti.

—Sí.

—¿Qué te parece?

—Estaba leyendo. Alguien llamó al timbre o a la puerta con los nudillos, y él dejó el libro boca abajo sobre la mesa para ir a abrir. Quienquiera que fuese, es quien lo mató. —Dirigiéndose a Bocchese, dijo—: ¿Han registrado el apartamento los tuyos?

—Guido, ya sabes que no —respondió el técnico con paciencia exagerada—. Hacemos fotos de las pistas y señales que han dejado, tomamos muestras y documentamos la escena, pero los que abrís cajones y registráis los rincones sois vosotros.

Brunetti estuvo a punto de sonreír, pero consiguió evitarlo a fin de no darle la satisfacción a Bocchese.

—Pues deja que te lo pregunte de otra manera: ¿por casualidad habéis visto algo que nos pueda resultar de interés? Así, por accidente.

—Te gusta hilar fino, ¿verdad? —dijo Bocchese—. El que ha visto algo ha sido Lorenzo, no uno de los míos.

Brunetti se volvió hacia Vianello.

—Estaba mirando los libros de ahí dentro —dijo el inspector— y hay algunos que parecen diferentes del resto.

«Diferente» podía significar muchas cosas, como Brunetti ya sabía.

—¿Cómo de diferentes?

—Parecían viejos —dijo Vianello, y sonrió.

Pucetti, que estaba a su lado, asintió.

Uno de los técnicos llamó a Bocchese y le dijo que estaban listos para volver a la *questura*.

—Me voy con ellos —dijo Bocchese—. Os dejo los libros a vosotros.

—¿Puedes dejar una caja para pruebas? —pidió Brunetti al técnico jefe—. Por si acaso.

Bocchese asintió y se marchó crujiendo al caminar. Vianello tomó la iniciativa y entró en la otra habitación mientras Brunetti y Pucetti lo seguían hasta la librería de nogal que había detrás del sillón donde había estado sentado Franchini. Mientras se ponían los guantes, Brunetti se puso a observar los libros que contenía. En las baldas superiores había los clásicos habituales de historia italiana y pensamiento político: Maquiavelo, Guicciardini, Gramsci. Estaba hasta Bobbio. Por debajo estaban los escritores en latín: ediciones modernas de Cicerón, Plinio,

Séneca, Propercio. Recorrió la predecible presencia de esos autores con la mirada, pero en la tercera estantería se sorprendió al encontrar a Valerio Flaco, a Arriano y a Quintiliano. Y el *Código* de Justiniano, que nunca había leído, como tampoco había leído a Valerio Flaco. Estaba Salustio, *La conjuración de Catilina*, que sí había leído y también olvidado por completo, y *De lingua latina* de Varrón, que Brunetti siempre había pensado que nadie había leído jamás.

Más abajo estaban los dramaturgos, pero entre *Fedra* de Séneca y las *Comedias* de Plauto había otro libro mucho más antiguo que el resto de las ediciones modernas. Lo sacó de la estantería y el simple hecho de que le cupiera cómodamente en la mano le causó gran placer. Encuadernado en tafilete negro sobre lo que sospechaba era madera, con tres barras horizontales en relieve sobre el lomo. Miró la cubierta y vio el doble círculo dentro de un rectángulo dorado finamente dibujado: CATVL TIBULLUS PROPER. Lo abrió torpemente por la portada con un dedo enguantado y vio que había sido impreso en Lyon, en la imprenta de Gryphius en... —tuvo que descifrar los números romanos— 1534.

Se hizo a un lado y lo dejó sobre el cojín del sillón donde había estado sentado Franchini para centrarse de nuevo en la librería. Sacó otro libro que estaba un poco más allá y lo abrió. La portada lo identificaba como las tragedias de Séneca; pasó la página con cierta dificultad y sintió la reconfortante sorpresa que siempre le producía la belleza. El trazo del iluminador nacía en la elaborada ene mayúscula con la que empezaba la página y la utilizaba como punto de partida para una cadena de diminutas flores que rodeaba el texto: rojas y doradas y azules, y de aspecto tan fresco que parecía que las hubiesen pintado ayer. En la parte inferior, las flores surcaban la página y se encontraban con un escudo con dos leones rampantes antes de flotar por el margen interior de la página, de regreso hacia la ene.

Se inclinó sobre el libro para leer la inscripción: NISI GRATIAS AGEREM *tibi, vir optime.* El autor daba las gracias a un buen hombre, según pudo descifrar Brunetti. Quizá Enrico Franchini tuviera razón y tener la capacidad de traducir latín no disciplinaba la mente.

Dejó el libro encima del otro y vio que en la misma balda había otros tres volúmenes parecidos y aún más en la siguiente. En la de abajo del todo descubrió un volumen grande que estaba colocado de costado y se agachó para cogerlo. Tácito, el primero de cinco libros. Lo apoyó en el respaldo del sillón y lo abrió; al ver las notas escritas con tinta en los márgenes, se estremeció. Lo hojeó, pues ya lo había leído, aunque en italiano. Era capaz de traducir locuciones y hasta frases completas, pero no podría haberlo leído en latín; no después de tantos años y mucho menos con lo indisciplinada que tenía la mente. Intentó leer las notas escritas a mano, pero la caligrafía era demasiado complicada para él y abandonó.

Cerró el libro de Tácito y lo dejó sobre el montón creciente antes de dar un paso atrás y estudiar los lomos de los libros que quedaban: los volúmenes antiguos eran fáciles de reconocer, pues prácticamente todos conservaban algún resto dc la etiqueta adhesiva del catálogo.

Escogió uno al azar y lo abrió sin molestarse en mirar el título: la encuadernación había delatado su antigüedad y le había dado una indicación de su valor. Lo sostuvo en la mano y dejó que se abriera solo por donde le pareciese mejor. Vio una te mayúscula iluminada, un hombre arrodillado a su izquierda y dos ovejas al otro lado de la letra.

La mera visión de los versos impresos en cursiva le provocó un pequeño vuelco al corazón. La primera vez que vio aquel texto fue más de veinte años atrás, durante la primera y tensa visita a casa de los padres de Paola, en la que el *conte* le enseñó al torpe estudiante universitario de familia humilde que había sido invitado a comer al Palazzo Falier alguno de los libros de su biblioteca. Volvió atrás hasta la portada y su memoria se vio ratificada: el *Virgilio* de Manucio. Leyó la fecha: 1501. Abrió la página treinta y seis y buscó el sello del *conte* en la parte inferior, pero no estaba allí.

Brunetti añadió el libro al montón. Sobre aquel sillón se estaba acumulando una fortuna, aunque en ningún momento creyó que Franchini se hubiese hecho con los volúmenes de manera honrada. «Un ladrón, un chantajista, un mentiroso y un farsante.»

Sacó el Séneca de la pila y lo volvió a abrir; enseguida encontró el pequeño tampón ovalado en la esquina inferior izquierda de la portada: «Biblioteca Querini Stampaglia», decía. Fue directo a las páginas cincuenta y siete y ciento cincuenta y siete, y allí encontró repetida la misma identificación. Para estar seguro, aunque en realidad no era necesario, fue a la última página, donde volvió a ver el sello. Era el patrón numérico que conocía desde su época de estudiante.

Vianello, que había estado todo ese tiempo observándolo en silencio, dijo:

—He pensado que tú entenderías qué son.

Tomó uno de los libros: Catulo, Tibulo y Propercio.

—Yo no sé nada de estos libros; casi no puedo ni leer el título ni la fecha. En el colegio no estudié latín.

—Para mí es viejo y punto —interrumpió Pucetti.

—Pues quizá los disfrutarías —dijo Brunetti al joven.

—Puede ser —respondió este—. ¿Son interesantes? —dijo en un tono que le asemejó tanto a Raffi que a Brunetti le pitaron los oídos.

—Depende de lo que consideres interesante, Roberto —dijo, y se quedó bloqueado—. Yo los leo y me gustan.

—¿Por qué?

Brunetti tendió la mano y le cogió el libro a Vianello.

—Supongo que porque me gusta el pasado —dijo—. Leer sobre otros tiempos nos enseña que, en realidad, a pesar de que han pasado siglos desde entonces, no hemos cambiado tanto.

—¿Por qué tendríamos que haber cambiado? —preguntó Pucetti.

—Estaría bien dejar algunas cosas malas atrás —interrumpió Vianello.

—Los tipos como nosotros nos quedaríamos sin trabajo —dijo Brunetti, y se fue a preguntar a los técnicos si tenían una caja suficientemente grande para todos los libros.

Cuando llegaron a la *questura*, los tres hombres se dirigieron al despacho del comisario; él iba primero, cargando la caja de libros. Una vez dentro se volvieron a poner los guantes y, siguiendo sus instrucciones, abrieron los libros colocando los dedos por debajo de la cubierta delantera y buscaron cualquier tipo de indicación del verdadero propietario en todas las páginas que precedían a la portada. Los trataban con mucho cuidado, procurando tocarlos lo mínimo posible y pasando las páginas sujetando únicamente las esquinas.

Doce de ellos eran de la Merula. En uno de los que no provenían de allí, Brunetti encontró la conocida insignia del delfín y el ancla de Manucio, y consiguió descifrar las letras griegas que deletreaban el nombre de Sófocles y la fecha: 1502. Debajo de la insignia había un ex libris moderno con las iniciales «P. D.» separadas por un delfín en posición vertical. Otros dos provenían de una biblioteca pública de Vicenza. El siguiente que abrió era una edición de 1485 de la *Historia* de Livio, impreso en Treviso, que también llevaba las iniciales «P. D.». Había otro, una edición de 1470 de la *Retórica* de Cicerón, que no tenía ningún tipo de identificación. Era posible que Franchini lo hubiese comprado, pero Brunetti no confiaba en ello.

Cuando hubieron terminado de confeccionar una lista de todos los libros, llamó a Bocchese y le pidió que enviara a uno de sus hombres a buscarlos. Tarde o temprano encontrarían una huella repetida que no fuera la de Franchini.

Más tarde, cuando ya habían venido a recoger los libros y Vianello y Pucetti habían vuelto al barrio de Franchini a hablar con la gente del vecindario, Brunetti llamó a la *dottoressa* Fabbiani y le habló de la muerte del hombre y de los libros que habían encontrado en su apartamento.

—Dios mío, pobre Tertuliano —dijo ella sin pensar ni un momento en los libros.

A continuación hubo una pausa que Brunetti no tuvo el valor de interrumpir. Ella le dio las gracias con la voz afectada y le comunicó que la sección de libros antiguos iba a permanecer cerrada hasta que hiciesen una auditoría completa de la colección. Quiso hacerle una pregunta, pero la directora le cortó diciendo que no podía hablar más y colgó.

Después de la llamada, Brunetti se acercó a la ventana y se dijo a sí mismo que lo hacía para comprobar el avance de la primavera. Observó las hojas de parra que escapaban por encima de la valla que rodeaba el jardín del otro extremo del canal; si los capullos y los brotes se hubiesen puesto en fila a bailar el cancán, le hubiese dado lo mismo porque desde allí no veía ni rastro de ellos. Tenía algo en la cabeza que le estaba molestando, así que empezó a darle vueltas. Vueltas y más vueltas. ¿Qué historia le habían contado que ya no se creía?

Ahí estaba: entrando con paso firme en su memoria. Viale Garibaldi, una mujer sentada en un banco hablando con Franchini; de pronto llega otro hombre, se produce la agresión y Franchini se niega a presentar cargos. Según cómo lo mirase, podía ser un ataque al azar; pero teniendo en cuenta el gusto de Franchini por las mujeres y el chantaje, los mismos hechos podían contar una historia muy diferente.

Volvió al ordenador, introdujo el nombre del agresor y abrió su ficha. En la segunda página del documento encontró el nombre y la dirección de su compañera, la que había solicitado la orden de alejamiento: Adele Marzi, Castello, 999, el *sestiere* donde vivía Franchini. Miró la dirección de este en Campo Ruga: 333. No era probable que los edificios estuviesen uno cerca del otro, pero aun así sacó su copia de *Calli, Campielli e Canali* del cajón del fondo, encontró las coordenadas y lo abrió por el mapa número cuarenta y cinco. Estuvo observando los incoherentes números un rato y finalmente vio que el 999 estaba junto a Ponte San Gioachin, y por lo tanto, gracias al caos de la ciudad, estaba a menos de dos minutos a pie de casa de Franchini.

Introdujo el nombre de aquella mujer en el sistema, pero aparecía únicamente por haber solicitado a los tribunales la orden de alejamiento de Durà. En la solicitud encontró el número de *telefonino* y lo marcó.

—*Sì?* —contestó la voz de una mujer después de que sonase cinco veces.

—¿*Signora* Marzi?

—*Sì.*

—Soy el *commissario* Guido Brunetti —dijo, y esperó el tiempo suficiente para que ella se diese cuenta de que era un comisario de policía—. Me gustaría hablar con usted.

—¿Sobre qué? —preguntó ella tras una pausa.

—El incidente de Viale Garibaldi.

Tardó unos instantes en responder.

—¿Qué pasa?

—Hemos decidido volver a investigar el caso.

—Pero él está en prisión.

—Lo sé, *signora.* Pero aun así es necesario que hablemos del incidente.

La mujer hablaba con el mismo miedo que tenía cualquier ciudadano a cruzarse con la policía.

—No sé nada de él.

Brunetti se preguntó si se refería a su excompañero o a Franchini, pero no se lo comentó.

—*Signora*, es necesario que hablemos de todos modos.

—¿Por qué?

—Porque necesitamos averiguar más sobre lo que ocurrió.

Era una respuesta estúpida, pero Brunetti era consciente de que el miedo volvía a la gente menos perceptiva y le hacía tomar decisiones discutibles.

—¿Cuándo?

La frase sonó a negociación, pero él sabía que se trataba de una capitulación.

—Cuando le sea más conveniente, *signora* —dijo él con voz cálida.

Miró la hora y vio que eran casi las ocho.

—¿Le parece bien mañana?

—¿A qué hora?

—A la que usted escoja, *signora*.

—¿Dónde? —preguntó ella.

—Si quiere puede venir a la *questura* o...

—No —dijo ella interrumpiendo a Brunetti.

Volvía a notársele el miedo en la voz. El comisario estuvo a punto de sugerir un lugar cercano a donde ella vivía, pero eso confirmaría que conocía su dirección; también significaría que ella iba a estar cerca de casa en compañía de un desconocido y quizá no se sintiera cómoda con la idea.

—Podemos quedar en Caffè Florian —sugirió él.

—De acuerdo —dijo, aunque con reticencia—. ¿A qué hora?

Brunetti pensó que quizá fuese bueno concederle tiempo para darle vueltas al asunto.

—A las tres —dijo.

—De acuerdo —contestó ella después de un largo silencio durante el cual Brunetti prácticamente la escuchó reorganizar mentalmente el día.

—Perfecto, nos vemos allí. —Antes de que ella pudiera preguntarlo, añadió—: Cuando entre, pregunte por mí: Brunetti. Se lo diré a los camareros.

—Entendido —dijo ella, y cortó la llamada.

Brunetti abrió el correo electrónico y escribió a la *signorina* Elettra, que ya debía de haberse ido a casa.

¿Podría consultar qué sabemos de Adele Marzi, Castello, 999? Sé que dictaron una orden de alejamiento contra su expareja, Roberto Durà, pero eso es todo.

Entonces, con muy poca sutileza, añadió:

He quedado con ella mañana a primera hora de la tarde.

Apagó el ordenador sin molestarse en mirar si tenía algún correo esperando en la bandeja de entrada y se marchó a casa.

16

Cuando entró en casa eran más de las nueve y no había llamado para avisar de que llegaba tarde. Paola estaba acostumbrada a sus retrasos y olvidos, y normalmente le dejaba algo en el horno o sobre la cocina y volvía a su estudio a leer o a corregir trabajos de sus alumnos. Hace años, décadas, Brunetti solía tener remordimientos por llegar tarde, pero el sentimiento de culpa había amainado, pues a ella no parecía preocuparle su ausencia.

En una ocasión le preguntó sobre el tema y Paola contestó que si le parecía que le importaba pasar una hora más con Trollope o Fielding en lugar de con dos hijos adolescentes y un marido con la cabeza enfrascada en un horrible crimen. Había días en que a Brunetti le costaba esfuerzo conciliar lo que decía Paola con su idea de que era una madre y esposa devota.

En la cocina le esperaba una gran bandeja de alcachofas; no del tipo romano, enormes y vulgares, sino de las autóctonas y delicadas *castraura*. Debía de haber al menos una docena. Brunetti cogió el tenedor que había junto a la bandeja y se sirvió cinco en un plato; después sacó una cuchara del cajón y las bañó con el aceite de

oliva de la bandeja. Aún añadió una sexta. Abrió el frigorífico y, sin molestarse en mirar la etiqueta, se sirvió una
copa de vino blanco. A un lado del plato puso dos reba-
nadas de pan, que estaba un poco seco. No se le ocurría
destino más cruel que el de tener que comer solo, así que
se dirigió hacia la parte de atrás, al estudio de Paola.

La puerta estaba entornada y entró sin llamar. Ella lo
miró desde el sofá, territorio que había ocupado en su
práctica totalidad; aún quedaba un espacio a un extremo,
de modo que Brunetti se sentó allí y posó el plato y la
copa en la mesita baja.

—Guido —dijo ella mientras tomaba la copa y daba
un trago—, me acaban de contar una historia muy rara.

—¿De qué va? —preguntó él al tiempo que pinchaba
la primera alcachofa.

Paola las había frito en aceite de oliva y un poco de
agua, con un diente de ajo entero y un poco de perejil
añadido al final. Brunetti la cortó por la mitad y removió
los dos pedazos en el aceite, les dio la vuelta y se aseguró
de que estaban bien cubiertos. Comió un bocado, bebió
un trago de vino y remojó un pedazo de pan en el aceite.
Cogió la copa y se recostó en el sofá.

—Cuéntame.

—Hoy estaba hablando con Bruno...

—¿El que tiene el *camping*?

—Sí.

—El que dice que se va a escapar a Río con un turista
alemán a abrir una escuela de samba.

Bruno, a quien Brunetti conocía desde hacía años,
era el tío de una compañera de clase de Paola y tenía un
pequeño hotel en el Lido. Dado que el Lido estaba alejado
del centro, la presencia de la Guardia di Finanza era allí
menos opresiva y al comisario siempre le había parecido

que Bruno no debía de ser precisamente riguroso con la contabilidad.

—¿Algo relacionado con algún cliente? —preguntó Brunetti convencido de que los comentarios de los turistas a menudo representaban una ventana abierta al mundo real.

—No. No venía a cuento.

—¿Qué?

—Hace un tiempo lo telefonearon a casa. Era un hombre que lo llamó por el nombre y le dijo que estaban haciendo un censo de la gente que trabajaba en el sector turístico.

—¿Quién era? —preguntó Brunetti, y le dio un sorbo al vino.

—Eso es lo que preguntó él: que quiénes eran. El hombre dijo que «la Finanza». —Paola se fijó en la expresión de Brunetti y respondió—: Exacto, «la Finanza».

—¿Qué quiere la Guardia di Finanza de él?

—El hombre le dijo que quizá le interesaba suscribirse a unas revistas.

—¿Qué tipo de revistas?

—Le describió cinco diferentes y dijo que estaba seguro de que Bruno querría suscribirse al menos a una de ellas.

—¿Qué hizo?

—¿Tú qué crees? Dijo que sí.

—¿Por qué?

—Por el riesgo al que se expone, Guido. Es igual de susceptible que los demás: ¿cuántos obedecemos la ley todo el tiempo? Cuando vamos a cenar a un restaurante, ¿pides siempre *ricevuta fiscale*?

—Si conozco a los dueños, no —contestó Brunetti con indignación, como si le hubiese preguntado si robaba en las tiendas.

—Pues eso va contra la ley, Guido. Tú también corres un riesgo; aunque en tu caso seguramente te dejarían en paz en cuanto les dijeses que eres policía —afirmó ella—. Pero a los que no son del club no los tratan con tanta deferencia.

—Como a Bruno, ¿verdad?

—Como a él o a cualquier otra persona honesta que no pueda vivir honestamente. En los últimos diez años le han triplicado el alquiler y cada vez hay menos gente que quiera alojarse en el Lido. Así que para sobrevivir tiene que quebrantar la ley y no pagar los impuestos de todo lo que ingresa. Quienquiera que fuese el que lo llamó lo sabía y se aprovechó de ello.

—¿Cuándo ha sido?

—Hará unos cuatro meses.

Brunetti bebió otro sorbo de vino, pero dejó las alcachofas donde estaban.

—Cuéntame más.

—Las revistas llegan por mensajero; le paga a él. No tiene ni idea de quién las envía.

—¿Qué revistas le mandan?

—La historia de la Guardia Costiera, la contribución de la Marina a nuestra sociedad... Cosas así.

Las conocía bien: en cada comisaría hay alguna que otra tirada por ahí; historias que nadie quiere leer sobre los diferentes cuerpos de los servicios estatales.

—¿Y esa persona no le dio más información? —preguntó—. Aparte de que llamaba desde «la Finanza».

—No, nada. Y además llamaba desde un número oculto.

Brunetti se recostó.

—Así que solo ve al mensajero y este le coge el dinero. Podría venir de cualquier parte.

—Sí.

—Y esto ¿por qué me lo cuentas?

—Porque les ha pagado. Porque se trata o bien de un fraude (que yo creo que es eso) o bien de que ahora la Finanza se dedica a estas cosas. Bruno estaba convencido de que eran ellos y pagó porque lo considera un chantaje para que lo dejen tranquilo.

Brunetti se quedó sin nada que decir ni que preguntar.

—Así es como son ahora las cosas, Guido. Si un órgano del Estado nos llama y nos amenaza o si nosotros creemos que es un órgano del Estado, pagamos sin rechistar. A eso hemos llegado: a pagar dinero al Estado para estar a salvo de él.

Brunetti se negó a picar. Quería comerse el plato de alcachofas en paz, acabarse el vino y regresar a la cocina a ver qué le esperaba en el horno; no quería meterse en esa conversación, ni siquiera hacer un comentario al respecto. ¿Cómo pretendía ella que reaccionase Bruno ante tal amenaza?

Miró el resto de las alcachofas mientras pensaba qué hacer: si comía, sugería que lo que Paola le estaba contando no le interesaba; si no se las comía, tendría que hablar. De modo que cogió el plato y la copa y volvió a la cocina. Dentro del horno había una fuente ovalada cubierta con papel de aluminio. Tocó un costado con tiento y vio que podía sacarla sin miedo, así que lo hizo y retiró el papel.

Entre un montoncito de guisantes frescos y otro más grande de patatas nuevas asadas, había un par de pequeñas codornices, todo bañado en el aroma del coñac con que estaban rostidas. Aquella mujer era una alborotadora, cierto; pero sabía cocinar. Apartó las alcachofas a un lado del plato, se sirvió todo lo que había en la fuente y lo llevó a la mesa. Sacó el vino del frigorífico, pues había decidido seguir con el blanco, y fue a buscar *Il Gazzettino* al salón, donde lo había dejado por la mañana. De vuelta en la cocina, colocó el diario a un lado del plato y siguió leyendo desde donde se había quedado. Al igual que la comida, las noticias de la mañana no había que dejarlas para el día siguiente: estaban mejor calientes.

Cuando terminó, dejó el plato en el fregadero y lo enjuagó con agua caliente, y después buscó la botella de coñac y sacó dos copas. Se dijo a sí mismo que iba al despacho de Paola con una ofrenda para hacer las paces, aunque no hubiese necesidad de restablecer la paz.

Ella lo miró entrar y sonrió, puede que por su regreso o por la botella que traía consigo y, aunque antes no lo había hecho, movió los pies para dejarle más sitio y apartó el libro.

—Espero que te hayan gustado —dijo ella.

—Una maravilla —dijo, y levantó la botella—. He decidido seguir con el coñac.

Paola tendió la mano para coger la copita que le ofrecía él.

—Muy amable, Guido.

Dio un traguito y asintió con agradecimiento.

—He venido a contarte lo que ha pasado —dijo, y se sentó a sus pies.

Cuando acabó el relato del asesinato de Franchini y de los libros que habían aparecido en su casa, se había servido la segunda copa de coñac pero aún no la había probado.

—Pero ¿por qué iba a querer alguien matarlo? —preguntó ella, y él le contestó con el comentario que Franchini había hecho sobre su hermano.

Se quedó callada. Intentó articular una palabra, pero

al parecer no encontró la que buscaba y se limitó a apartar la mirada, alzar una mano y dejarla caer.

—Le creo —dijo Brunetti—. No sé explicar por qué, pero le creo. No paraba de llorar, incluso después de decírmelo.

El comisario pasó por alto el resto de las cosas que el hermano le había confesado: el chantaje, el fiero deseo de Aldo de medrar, lo que decía sobre su nuevo plan y de que había encontrado a alguien con quien cazar.

—Y ahora está muerto —dijo Paola.

—Sí.

En todos esos años, nunca le había pedido que le diese detalles sobre las muertes que investigaba. El simple hecho de que alguien hubiese muerto a manos de otra persona ya era suficientemente horrible para ella.

Paola dejó la copa sobre la mesa con el mismo ademán de cuando ya había terminado de beber y Brunetti se dio cuenta de que apenas había bebido. Al mirar su coñac y ver que también estaba prácticamente hasta arriba, se sorprendió de no tener ganas de tomar un sorbo más.

—¿Qué vas a hacer ahora?

—Mañana por la tarde he quedado con una mujer que lo conocía, para hablar.

—¿De qué lo conocía?

—Esa es una de las cosas que le voy a preguntar.

—¿Y qué más?

—Que por qué lo agredió su expareja.

Ella le lanzó una mirada que delataba su curiosidad.

—Fue hace seis meses, más o menos. Tuvieron una especie de encontronazo y Franchini acabó en el hospital con la nariz rota, pero no presentó cargos. Ahora el hombre que le pegó está en la cárcel por otro asunto. Así que él no ha sido.

—Algo es algo —dijo Paola—. ¿Por qué quieres hablar con ella?

—Para que me cuente más sobre Franchini. De momento para mí es un señor que dejó de ser cura y estuvo leyendo a los Padres de la Iglesia durante años en una biblioteca, pero que, según su hermano, no era un hombre honrado. Y además tenía la casa llena de libros robados. —Hizo una breve pausa y después añadió—: Quiero comprobar si su historia coincide con la del hermano y cuál de las dos es la verdadera.

—¿No pueden serlo las dos? —preguntó Paola.

Brunetti lo estuvo pensando un tiempo y finalmente dijo:

—¿Por qué no?

17

Al día siguiente por la tarde, mientras cruzaba la Piazza de camino al Caffè Florian, Brunetti tenía presente el comentario de Paola. Había comido con ella y los niños, y entre ellos dos habían acordado pasar por alto la conversación de la noche anterior con la intención de decidir adónde ir de vacaciones aquel verano. «Suponiendo que tu jefe no te haga quedarte en Venecia a echar un ojo a los carteristas», había comentado Chiara, lo que le dio una pista a su padre de que quizá hablaba de su trabajo con demasiada libertad.

«Es más probable que sea por culpa de las licencias de los barcos y de los que se pasan de velocidad en el Gran Canal», había sugerido Paola cuando él se levantó. Brunetti se inclinó para besarle la cabeza y dijo:

—Si veo que voy a llegar tarde, te llamo.

A pesar de que todos habían participado en la conversación, como de costumbre, no habían conseguido ponerse de acuerdo sobre dónde pasar las vacaciones. A Paola no le importaba demasiado el lugar a condición de que pudiese pasarse el día leyendo tranquilamente y salir a cenar por la noche. El requisito de Raffi y Chiara era que hubiese playa y pudieran bañarse todo el día. Por su parte, Brunetti quería poder dar largos paseos por la montaña y volver a casa por la tarde a quedarse dormido leyendo un libro. Pero se temía que no iba a ser fácil: darles voto a los niños era una decisión terrible.

Entró a la Piazza desde Merceria y la cruzó en diagonal hacia el Caffè Florian. Se detuvo un momento en el centro y se volvió para mirar la basílica: qué edificio tan absurdo, tan excesivo, compuesto al tuntún con piezas sueltas y pedazos del botín de Bizancio. No había nadie que en su sano juicio hubiese diseñado algo como aquello que estaba contemplando: las puertas, las cúpulas, la luz que reflejaban los azulejos dorados. Con la esperanza de romper el hechizo del edificio, sacó el teléfono y marcó el número de la *signorina* Elettra; no obstante, le resultó extraño estar llamando al mismo tiempo que contemplaba las copias de unos caballos que eran fruto del pillaje que se había hecho en Constantinopla hacía prácticamente mil años. La *signorina* Elettra, que por la mañana no se había dejado ver en la oficina, no contestó, así que lo dejó a su propia suerte, yendo a hablar con la *signora* Marzi sin la ventaja de conocer detalles sobre su vida y sus actos.

Una vez en el café, le sorprendió una vez más el elegante deterioro del lugar. Los manteles estaban inmaculados y los camareros llevaban relucientes chaquetas blancas y proporcionaban un servicio rápido y amable, pero la pintura de las paredes estaba deslucida y desconchada, cubierta de las manchas que había dejado del roce de los respaldos de las sillas a lo largo de las décadas. El terciopelo de los sofás, pulido por generaciones de turistas, le recordaba a las calvas que tenían los viejos ositos de peluche de sus hijos.

Indicó al camarero que esperaba a una señora y que

esta preguntaría por él por su nombre. Entró en la primera sala de la izquierda y dijo que pediría en cuanto llegase su acompañante; acto seguido, regresó a la entrada y seleccionó la edición del día de *Il Gazzettino* de entre los periódicos que había para los clientes.

La noticia de la muerte de Franchini aparecía en la esquina inferior derecha de la primera página de la segunda sección, y se limitaba a informar de que había sido hallado muerto en «misteriosas circunstancias» y que la policía estaba llevando a cabo una investigación. El nombre y edad de la víctima eran correctos y se informaba de que había sido cura y había dado clases en una escuela de Vicenza. Brunetti se preguntó cómo podían haber averiguado todo eso tan pronto, qué miembro del cuerpo había hablado con la prensa y con qué autoridad.

—¿*Signor* Brunetti? —preguntó alguien con voz de mujer.

Él dejó el periódico en la mesa contigua y se levantó.

—¿*Signora* Marzi?

Era una mujer alta, casi tanto como él, con el cabello demasiado rubio y más maquillaje del que requería la hora del día. Tenía los ojos tan oscuros que parecían negros, y rímel en las pestañas; llevaba las cejas depiladas muy finas, aunque después se las había pintado con un lápiz negro hasta recuperar el grosor natural; el efecto era el de la uve invertida que tan a menudo se veía en las cejas de los personajes de dibujos animados.

Tenía la nariz corta y respingona, y debajo nacían dos arrugas apenas perceptibles que le llegaban hasta las comisuras de la boca. Pasaba de los cuarenta, pero no quedaba claro si por mucho o poco; los años que aparentaba en cada momento debían de depender de la luz y del maquillaje, y probablemente también de su humor. En cualquier caso, se trataba de una mujer que le parecería atractiva a la mayoría de los hombres.

—Por favor —dijo él señalando el banco tapizado que tenía a la izquierda, y apartó la mesa para que pudiera pasar y sentarse.

Ella obedeció, se levantó un instante para alisarse la falda y volvió a tomar asiento. De haber sido un hombre, la chaqueta cruzada del traje gris oscuro que vestía hubiese resultado tradicional, casi aburrida; sin embargo, siendo mujer y, sobre todo, llevando el pelo tan corto como ella, resultaba vagamente provocativa. La calidad de la tela y del corte era incontestable. Debajo llevaba un jersey de cuello redondo de color negro y un collar de perlas. Aquella mujer no compraba la ropa en grandes superficies. Dejó el bolso en el sitio vacío de su derecha y miró hacia la Piazza a través de la ventana. Después bajó la mirada y estudió los objetos que había sobre la mesa como si nunca hubiese visto una carta o un sobrecito de azúcar.

Brunetti llamó la atención del camarero. Cuando se acercó dijo:

—*Un macchiatone*.

El camarero se volvió hacia ella y esta asintió.

—*Due* —dijo Brunetti.

Cuando los pasos del camarero dejaron de oírse, ella levantó la cabeza y lo miró a los ojos.

—¿Qué quiere saber?

—Me gustaría que me explicase qué ocurrió aquella tarde en Viale Garibaldi.

—¿Medio año después? —repuso ella.

A continuación lo observó fijamente, se humedeció los labios y apartó la mirada. Brunetti se encogió de hombros.

—El trabajo policial es así. Damos algo por bueno,

pero más tarde ocurre otra cosa que nos obliga a dar marcha atrás y volver a examinar el primer incidente.

—Y en este caso, ¿qué ha ocurrido para que sea necesario?

Apenas había prestado atención al diario, así que no era probable que se hubiese enterado del asesinato de Franchini. Brunetti no se sintió obligado a contárselo: prefirió dejar que hablase como si el hombre continuara vivo.

—Nada que le afecte a usted, *signora* —dijo, aunque no estaba seguro de que eso fuese verdad—. Me gustaría que me relatase lo que ocurrió.

Se anduvo con cuidado de no preguntar por personas o cosas específicas, pues quería hacerla creer que lo que le interesaba eran única y exclusivamente los hechos acaecidos, como si estuviera meramente comprobando la veracidad del informe.

Ella volvió a levantar la mirada y la fijó en Brunetti.

—A veces bajo por el Viale para coger el *vaporetto*. Me gusta pasar por allí porque es amplio y abierto, y hay árboles.

Brunetti asintió, como haría cualquier otro veneciano.

—Esa mañana vi a alguien a quien conocía y me paré a hablar con él. Cuando me marché, apareció mi expareja y tuvieron algún tipo de discusión. Yo no estaba, de modo que no sé qué ocurrió.

Entonces, con un matiz de exasperación en la voz, dijo:

—Todo esto ya se lo he dicho a la policía.

Antes de que Brunetti pudiera responder a eso, el camarero regresó y les sirvió dos cafés y dos vasitos de agua. Acercó el cuenco de cerámica que contenía los sobres de azúcar un centímetro hacia la mujer, asintió mirando a Brunetti y se alejó.

El comisario se echó azúcar y removió el café. Dio un trago y posó la tacita.

—¿Dice que conocía a esa persona?

En lugar de contestar, ella se acercó el cuenco un poco más. Cogió un sobrecito, lo abrió poco a poco, vertió el azúcar en el café y lo removió. Entonces miró a Brunetti como si ya hubiese respondido y estuviese esperando otra pregunta.

—¿Dice que conocía a esa persona?

De pronto entraron tres mujeres con sudaderas con capucha y zapatillas deportivas y se pusieron a mover las sillas de una mesa que había junto a la ventana hasta que las tres cupieron a su alrededor. Hablaban en voz muy alta en un idioma que Brunetti no reconocía, hasta que una de ellas se fijó en él y pidió a las demás que bajaran la voz.

Volvió a centrarse en la *signora* Marzi, que dijo:

—Vivía en el vecindario. Alguien me había hablado de él.

Entrelazó los dedos sobre el regazo como si hubiese olvidado del café. Mientras tanto, Brunetti esperó a que dijese algo. Al cabo de unos instantes ella separó la mano derecha y empezó a toquetear el mantel como intentando decidir si la tela era de suficiente calidad como para comprarla.

Brunetti se acabó el café, se recostó en su asiento y se cruzó de brazos.

Finalmente, ella levantó la mirada.

—Ya se lo he dicho: no vi lo que ocurrió.

—¿Cómo se enteró? —preguntó Brunetti.

La pregunta pareció sorprenderla.

—Ustedes me llamaron. —Al ver su confusión momentánea, explicó—: La policía. —Y sin procurar ocultar su exasperación, prosiguió—: Ya me había quejado varias veces de él, así que cuando lo arrestaron, me llamaron. ¿Es que no llevan ustedes un registro de estas cosas? —añadió con agresividad.

—El hombre fue agredido —dijo él pasando por alto la provocación.

—Mi expareja es un hombre muy fuerte —dijo ella.

—Ha dicho que conocía al hombre que estaba en el banco.

—¿Por qué me hace todas estas preguntas?

—No me cuadra que su compañero le pegase a un hombre solamente por hablar con usted.

La *signora* Marzi abrió el bolso y sacó un pañuelo de algodón con un estampado de rosas diminutas que utilizó para limpiarse la comisura de los labios a pesar de que aún no había probado el café. El brillo de labios de color rosa chillón que llevaba al entrar prácticamente había desaparecido. Volvió a doblar el pañuelo, abrió el bolso el tiempo suficiente para que Brunetti reconociese el discreto logo de Hermès en el forro interior y lo guardó.

—Que yo estuviese hablando con él ya era suficiente —dijo finalmente, y se humedeció los labios de nuevo.

—¿Habían hablado con anterioridad?

—Me habían dicho que era cura, así que pensé que podía confiar en él —dijo a modo de respuesta.

No le pareció el tipo de mujer que confiase en un cura —ni en ninguna otra persona, la verdad—, pero asintió con comprensión.

—¿Se trataba de algo que no pudiese confiarles a sus amistades?

Ella volvió a entrelazar los dedos sobre el regazo.

—Quería hablar de él con alguien.

Brunetti descifró el pronombre.

—Entiendo. ¿Y el cura la ayudó? —preguntó evitando comentar que le parecía un tema extrañamente íntimo para discutirlo con un hombre al que apenas conocía. Sobre todo de pie frente a un banco.

Ella le lanzó una mirada breve y cargada de sospecha, como si se temiese que Brunetti supiera mucho más de lo que decía, y negó con la cabeza.

—No, no me ayudó. Me dijo que lo había dejado y que no me podía ofrecer ningún consejo.

En ese momento se acordó del café y se llevó la tacita a los labios, pero se sorprendió al notar que estaba frío y la volvió a dejar sobre el platito.

—Entonces, ¿había hablado antes con él? —preguntó Brunetti.

Ella respondió con una expresión de estudiada confusión, pero no dijo nada.

—Hablo del hombre que estaba sentado —aclaró Brunetti—. A quien agredió su excompañero.

Esperó unos segundos y añadió:

—¿Sabía que tuvo que ir al hospital?

Ella asintió y dijo que sí, nada más.

—¿Había hablado con él en alguna otra ocasión?

La expresión de la mujer denotaba irritación: su boca se convirtió en una línea recta y entornó los ojos. Brunetti la observó con calma, como el que espera que una nube pase de largo para volver a disfrutar de los rayos del sol.

—Puede que sí —concedió ella.

Brunetti dirigió la mirada hacia la ventana y la gente que pasaba por delante para ocultar cualquier señal involuntaria de triunfo. Enseguida llegó el camarero y tomó nota de lo que querían las tres mujeres, que ahora hablaban a un volumen que normalmente se reserva para las iglesias. El camarero miró a Brunetti, que negó con la cabeza, así que se marchó.

—¿Cuando aún era cura? —inquirió el comisario sin demasiada insistencia.

Estaba pensando en lo mucho que se parecían la mayoría de las entrevistas, aunque en realidad él siempre las consideraba interrogatorios. En cuanto los sujetos empezaban a hablar y se daban cuenta de que el interrogador les creía, los que tenían algo que ocultar se sentían lo suficientemente a salvo como para empezar a decir las pequeñas mentiras que al final solían llevarlos de cabeza a su propia trampa. La única manera de evitarlo era negarse a hablar con la policía sobre cualquier asunto sin la presencia de un abogado, pero eran pocos los que tenían la sensatez de obrar así y no se creían lo suficientemente listos como para salir airosos de cualquier conversación.

—Cuando lo conocí —dijo con mayor seriedad—, no sabía que había sido cura.

—¿Dónde lo conoció? ¿Cuánto tiempo hace?

Ella debería haber estado preparada para esa pregunta; y quizá lo estaba.

—Allí, en el parque; el año pasado. Solía ir de vez en cuando por las mañanas, a sentarme al sol. Está de camino al barco y, si salgo pronto de casa, me da tiempo a parar media hora de camino al trabajo.

Brunetti no dijo ni preguntó nada.

—Él solía estar allí sentado, leyendo, y un día el único sitio que quedaba libre era el que estaba a su lado. Le pedí permiso para sentarme y nos pusimos a hablar.

—¿Sobre el libro?

—No —dijo ella convencida—. Yo no leo.

Brunetti asintió con comprensión, como si fuese lo más normal del mundo.

—Hablamos de cosas. De cosas de verdad.

«Libros 0, Marzi 1», pensó Brunetti. Sentía curiosidad por saber cómo era posible que una mujer de su edad y aparentemente soltera tuviese el suficiente tiempo libre como para pasar los días sentada en un banco de Viale Garibaldi o, de hecho, cómo era posible que estuviera disponible para hablar con él habiéndola avisado con tan poco tiempo de antelación. Ella aprovechó el silencio para beber agua.

Brunetti llevaba todo ese tiempo prestando atención a cualquier señal que pudiese delatar alguna respuesta emocional en relación con el hombre del banco, cuyo nombre aún no habían mencionado; sin embargo, ella no había dado ninguna. Cuando Brunetti le preguntó por él, parecía contrariada y aún más cuando insistió, pero aparte de eso no había demostrado más sentimiento que si le hubiese estado hablando del tiempo. De hecho, lo único que percibía —y que de hecho cargaba el ambiente a su alrededor— era cierto nerviosismo por que la conversación con el hombre del banco pudiera ser de interés a la policía.

—Ha dicho que paraba allí de camino al trabajo, *signora*. ¿Le importaría decirme dónde trabaja?

—¿Por qué quiere saberlo? —preguntó ella lanzándole una mirada afilada.

—Por curiosidad —dijo él, y sonrió.

—Soy secretaria —respondió ella, aunque al ver su reacción, matizó—. En realidad lo que hago se parece más a lo que los ingleses llaman «asistente administrativa» —dijo pronunciándolo en inglés con cierta dificultad.

—Oh —dijo él queriendo sonar impresionado por la distinción—. ¿Trabaja para un particular?

—Sí, para el *marchese* Piero Dolfin.

El nombre le trajo a la memoria la cubierta interior de los libros que había en casa de Franchini: «P. D.» y el delfín saltarín que aparecía en ambas insignias.

Procurando aparentar la mayor naturalidad posible, Brunetti dijo:

—Es amigo de mi suegro.

Como si se tratase de una fanfarronada que ella tuviese que superar, Marzi dijo:

—Sí, se trata de una familia muy antigua, una de las más antiguas de la ciudad.

De eso no cabía duda y Brunetti lo sabía, aunque la rama de la familia a la que ella se refería llegó desde Génova en la época de la unificación con un apellido diferente y le compró el título al nuevo rey de Italia. Para completar el lote, escogieron uno de los apellidos más antiguos de la ciudad.

Como si no fuese capaz de refrenar su interés por una profesión tan fascinante, Brunetti preguntó:

—¿Qué clase de tareas lleva a cabo?

Mientras ella contestaba, el comisario repasó los motivos que podían explicar la presencia de libros de la biblioteca de Dolfin en las estanterías de Franchini, aunque solamente cabía una razón. Volvió a prestar atención a lo que decía la *signora* Marzi.

—... miembros fundadores de Rotary Club —concluyó ella.

—Eso es admirable —dijo Brunetti consciente de que fuera lo que fuese que había dicho pretendía parecer admirable.

Sonrió y se preguntó si ella estaría al tanto del asunto o si, por el contrario, Franchini la había utilizado.

De pronto Brunetti se dio cuenta de que dos mesas

más habían sido ocupadas: en una de ellas se había sentado una pareja de japoneses de mediana edad; le recordaron a la *contessa* Morosini-Albani porque se sentaron dejando al menos diez centímetros entre la espalda y el respaldo. En la otra había un par de adolescentes rubias que lo miraban todo con gran deleite.

Recuperó el periódico doblado de la mesa de al lado y se lo pasó a la *signora* Marzi sin decir nada. Ella se sorprendió y lo cogió automáticamente mientras lo miraba con cara de confusión.

Brunetti no dijo ni palabra.

La mujer agachó la cabeza y leyó los titulares, y él esperó. En un momento dado se dio cuenta de que ella contraía la mano izquierda y arrugaba la hoja de papel; el ruido se escuchó desde todas las mesas de alrededor. Cuando terminó de leer, lo dejó en el centro de la mesa, sin levantar la vista del periódico, negándose a mirar a Brunetti.

—¿Qué hizo usted por él? —preguntó el comisario como si se tratase de una conversación normal.

—No sé de qué me está hablando —contestó ella: una afirmación que de tanto usarla había acabado significando lo contrario.

—Franchini —dijo Brunetti señalando el diario—. El hombre del parque, el hombre a quien su excompañero mandó al hospital y que sin embargo no lo denunció. ¿Qué hizo usted por él?

Brunetti lo había dicho para ver qué pasaba. Había atado cabos y, aunque no tenía claro cómo casaban exactamente, sabía que estaban unidos.

—Como usted quiera —dijo el comisario, y se encogió de hombros. Sin embargo, le ofreció su sonrisa más juvenil y añadió—: *Il marchese* Dolfin estará encantado de recuperar su Sófocles, no me cabe duda.

—¿Su qué? —preguntó ella nerviosa.

—Su copia del libro de Sófocles. Es un Manucio de 1502. Estoy seguro de que se sentirá aliviado.

Le concedió un momento para que fuera consciente de la situación y prosiguió.

—¿Sabe si se ha dado cuenta de que ha desaparecido? ¿Qué me dice del otro?

—No sé de qué me habla —contestó con voz mortecina, y esa vez Brunetti la creyó.

—De libros de su biblioteca: libros antiguos. Por eso creo que se alegrará de recuperarlos.

Entonces, como si se le acabase de ocurrir, volvió a sonreír y dijo:

—Y los recuperará gracias a usted, ¿no cree?

Estuvo a punto de acercarse y darle unas palmaditas en el brazo como premio, pero se limitó a asentir con aprobación.

—Imagínese que no me hubiese dicho que trabajaba para el *marchese* Dolfin: yo nunca me hubiese dado cuenta de que los libros eran suyos.

Tenía la sospecha de que quizá estuviese apostando demasiado en aquella mano, pero estaba molesto con la obstinada negativa a contestar sus preguntas y quería disfrutar por lo menos de crearle aquel desconcierto, por mucho que supiese que era un impulso deplorable. La miró a los ojos sin sonreír ni un ápice.

—¿Son muy valiosos?

—Mucho —respondió él.

—¿Cuánto valen?

—No tengo ni idea. Diez mil euros, quizá; puede que quince mil. —Ella se quedó boquiabierta—. Es posible que más.

La mujer apoyó los codos en la mesa y escondió la

cara entre las manos, gesto que lo dejó atónito. Oyó un gemido: recordó que había leído sobre esos lamentos pero nunca había llegado a escuchar uno. Era un sonido desagradable con el poder de hacer que cualquiera en las inmediaciones acudiese en su ayuda sin ni siquiera saber qué estaba pasando. Incluso él, que no sentía ninguna simpatía por ella, tenía el deseo atávico de consolarla. Pero en lugar de eso dijo:

—Naturalmente, el *marchese* querrá saber cómo fueron a parar los libros a manos de Franchini, lo que quizá pueda explicarse por el hecho de que usted lo conoce y, además, desde hace tiempo. Espero que el *marchese* no sea tan estrecho de miras como para tenerle en cuenta que su expareja conociese al hombre en cuya casa aparecieron los libros robados. La cuestión es que usted pensaba que era cura, ¿no? No que era un ladrón.

Brunetti paró porque no le gustaba el tono que estaba empleando ni el hecho de que el ruido que ella hacía, aunque más bajo, aún se podía oír. Tampoco le gustaba que los ocupantes de las mesas vecinas se hubiesen vuelto para mirarlos como si lo consideraran a él responsable de sus lamentos. Aunque debía admitir que lo era.

Ella separó las manos de la cara, dijo «Fuera», se levantó y lo apartó para dirigirse hacia la puerta del café.

18

Dejó veinte euros sobre la mesa para estar seguro. Al fin y al cabo, el Caffè Florian era el Caffè Florian y en aquel momento lo último que quería era que le hiciesen volver a entrar para pagar. Una vez fuera, se quedó en los escalones y oteó la plaza con la esperanza de que la mujer no hubiese desaparecido absorbida por el gentío.

Y allí estaba, junto a una de las mesas de la terraza, con el bolso en la mano, abierto de par en par. Dos hombres de la edad de Brunetti pasaron junto a ella admirándola sin disimulo. Uno de ellos se detuvo para decirle algo, pero ella respondió que no con la cabeza y se hizo a un lado. Todos siguieron su camino, aunque el hombre que se había dirigido a ella se volvió para mirarla mientras esta se alejaba.

Brunetti la siguió unos instantes y enseguida apuró el paso para alcanzarla.

—*Signora* Marzi —le dijo—, ¿está bien?

Ella se volvió y lo miró a los ojos fríamente. Agarró el bolso y lo cerró.

—Si se entera me despedirá. Lo sabe, ¿verdad? —preguntó.

—Depende de si se entera de una cosa u otra.

—Si usted ha encontrado los libros, eso significa que Franchini estuvo en su apartamento. —Al ver que Brunetti no se lo confirmaba, exigió saber más—. ¿De qué otro modo podría habérselos llevado si no?

—¿Con su ayuda? —sugirió él.

—¿Qué? —dijo ella y dio un traspié.

Cayó con fuerza sobre el pie izquierdo, se abalanzó sobre el comisario y al recuperar el equilibrio se apartó como si él hubiese intentado propasarse.

—¿Ayudarlo? *Quello sporco ladro?* —inquirió con el rostro congestionado y escupiendo involuntariamente al pronunciar «*sporco*».

Acababa de enterarse del fallecimiento de aquel hombre y lo estaba llamando «sucio ladrón».

—¿Cuándo se los robó? —preguntó él.

Ella dio media vuelta y echó a andar en dirección opuesta a Brunetti, hacia el otro extremo de la Piazza. La siguió unos metros, y finalmente adelantó a una pareja que iba cogida del brazo para alcanzar a la mujer y caminar a su paso.

—*Signora*, lo que me interesa es su asesinato, no los libros robados.

La afirmación no era del todo cierta, pero el asesinato superaba al robo; su prioridad era el delito más grave y estaba dispuesto a renunciar al robo si eso le ayudaba a entender el asesinato o a resolverlo.

—Me dan igual, *signora*. Si eso le supone una ayuda, le devolveré los libros que Franchini se llevó de casa del *marchese*.

La mujer se detuvo en seco y se volvió hacia él.

—¿A cambio de qué? —exigió saber.

—Dígame todo lo que sepa de Franchini y cómo los consiguió, y son suyos.

—Pero debo devolvérselos, ¿no? —preguntó con voz tensa y aguda, intentando provocarlo para que le impusiera esa condición.

—Para mí no tienen ningún valor, *signora*. Puede hacer con ellos lo que le plazca.

De pronto se le suavizó la voz y la expresión.

—El marqués ha sido muy bueno conmigo: me dio este trabajo y confía en mí. Por supuesto que se los voy a devolver.

Brunetti se percató repentinamente de lo concurrida que estaba la plaza. Había gente por todas partes, cientos de personas, puede que más: caminando, parados, haciendo fotos, grabando vídeos, posando con palomas sobre los hombros, tirando maíz a los pájaros, mirando los escaparates, parándose a hablar con la persona de al lado. Miró alrededor de la Piazza y vio un mar multicolor de gente; el ruido que hacían, tan entrecortado como el oleaje rompiendo contra las rocas. Pensó en un lugar adonde ir para escapar de ellos, pero no se le ocurrió ninguno. No recordaba ni un solo sitio tranquilo en un radio de dos puentes o cinco minutos de distancia a pie. Para dejar de verlos y de oír su ruido iban a tener que entrar en un bar o una tienda o una iglesia.

—¿Qué pasa? —preguntó ella.

Brunetti no tenía nada que decir que ella no supiese ya: era veneciana, cosa que él había notado con solo escucharla.

—¿Hacia dónde va? —preguntó él.

—Al trabajo.

No tenía ni idea de dónde estaba, pero aun así le preguntó:

—¿Le importa si la acompaño? Podemos hablar por el camino.

Como si estuviera despertando de un sueño, miró a su alrededor, vio a la multitud y escuchó el murmullo.

—Sí —dijo—. Vamos por aquí.

Giró hacia XXII Marzo y se alejó a buen paso de la plaza. A medida que se acercaban al puente, la calle se iba ensanchando y el gentío se desplegaba.

—Tuve una relación con Aldo que duró unos meses, antes de lo del parque —dijo justo antes de llegar al puente—. Hacía mucho tiempo que él era amigo de Roberto. —Para estar segura de que Brunetti la entendía, añadió—: De mi expareja.

El comisario asintió y ella subió los escalones del puente. Al llegar arriba se detuvo, miró hacia el Gran Canal y cruzó los brazos sin soltar el bolso.

—Creo que Roberto le vendía cosas.

—¿Qué tipo de cosas?

—Cosas que le compraba a otra gente.

—¿Cosas robadas? —preguntó Brunetti para no perder más tiempo.

—Creo que sí.

Ella lo sabía, de otro modo no lo hubiese mencionado. No obstante, Brunetti no dijo nada.

—A veces eran libros. Alguna vez los vi, cuando aún vivíamos juntos y Aldo venía a casa a buscar lo que le vendía Roberto.

«Y no llamó a la policía», se dijo Brunetti, aunque acto seguido se reprendió a sí mismo, porque la mayoría de la gente hubiese obrado igual.

—¿Libros viejos? —preguntó, aunque solamente para estar seguro.

—Sí. Solía venir a nuestro apartamento. Siempre era muy educado conmigo, incluso cuando Roberto no estaba en casa. Así que... así empezó la cosa. Roberto tuvo que ir a Cremona unos días y..., bueno, Aldo siempre fue muy amable conmigo. —Apartó la mirada de la de Brunetti y la fijó en el canal—. Al principio.

—¿Qué pasó?

Contestó como si le hablara al agua.

—Cuando Roberto regresó y después de que hubiese... pasado, supongo que yo me portaba de manera diferente con Aldo o cuando él estaba presente. De alguna manera, Roberto debió de darse cuenta. Entonces empezaron los problemas.

—¿Problemas?

—Las amenazas —dijo, y volvió a mirar a Brunetti—. Pero solamente me amenazaba a mí. Como si Aldo no tuviera nada que ver. Un día Roberto me enseñó una pistola y me dijo que estaba dispuesto a usarla si volvía a hablar con cualquier otro hombre. Fue entonces cuando acudí a la policía. Gracias a Dios, mi hermana estaba delante cuando lo dijo, así que tenía una testigo. Me fui de casa y lo dejé todo allí. El abogado del *marchese* me ayudó a pesar de que hacía muy poco que trabajaba para él; así es como conseguí la orden de alejamiento.

—¿Y los libros? —preguntó Brunetti—. ¿Cómo se las ingenió Franchini para robarlos?

Ella miró brevemente a los gondoleros que estaban sentados en los bancos de la *riva*, que de vez en cuando se levantaban de un salto para recibir a los turistas que se les acercaban a hacer preguntas o negociar el precio. «Como si alguien pudiese ganar a un gondolero a la hora de regatear», reflexionó Brunetti.

Ella se aclaró la garganta unas cuantas veces y, según le pareció a él, se obligó a mirar al *commissario* antes de seguir hablando.

—El *marchese* me permitió quedarme en un pequeño

apartamento para invitados que hay en el *palazzo* mientras yo buscaba algo más grande.

Brunetti se fijó en cómo luchaba contra la tentación de permanecer en silencio.

—A veces Aldo venía a verme. —Su voz apenas era perceptible, ahogada por las pisadas de los turistas en el puente y el vocerío de los gondoleros—. Y una vez, cuando estábamos allí, fue a la otra zona del *palazzo* mientras yo estaba... durmiendo. —Se apartó de la barandilla y se irguió—. Entonces supe lo que andaba buscando.

—¿Lo había hecho antes? —preguntó Brunetti.

Fue testigo una vez más de su lucha interna.

—Debe de haberlo hecho —dijo ella finalmente.

—¿Qué hizo usted entonces?

—La siguiente vez que me llamó le dije que habíamos terminado.

—¿Y?

Antes de responder desvió la mirada.

—Se echó a reír y dijo que era un alivio.

Brunetti siempre había admirado la valentía, y diciendo aquello sin que le temblara la voz se ganó su estima.

—¿Por qué se paró a hablar con él en el parque?

—Era la primera vez que lo veía desde que hablamos por teléfono. Me sorprendió verlo allí, así que me paré y le pregunté qué quería. Me dijo que no quería nada, que simplemente estaba leyendo. Eso es lo que vio Roberto: nos vio hablando. Y cuando yo me marché, fue y lo amenazó. Y entonces pasó.

—Entiendo —dijo Brunetti—. ¿Alguna vez estuvo en su casa?

—No. No sabía que vivía en Castello hasta que lo he leído. Me he enterado ahora.

Con un gesto de la mano señaló hacia la Piazza, el Caffè Florian, el periódico.

Empezó a bajar las escaleras del puente con Brunetti a su lado y se escurrió entre el gentío como una anguila. Al llegar a la tienda de alfombras giró hacia la derecha en dirección a La Fenice, pasó por delante del teatro y continuó hacia el Ateneo Véneto. Tras cruzar el siguiente puente se detuvo, abrió el bolso y sacó unas llaves.

—Es aquí —dijo para dejarle claro que no debía acompañarla más allá de aquel punto.

Como si llevasen todo el rato charlando y aquella no fuese más que otra pregunta de la conversación, él dijo:

—¿Alguna vez le dio la sensación de que compraba cosas de otras personas aparte de Roberto?

Franchini había estado en la misma sala que Nickerson durante semanas y no le cabía duda de que había tenido ocasión de observar su comportamiento. «Mi hermano era un ladrón y un chantajista, un mentiroso y un farsante.» Las palabras resonaron en su mente como el compás favorito de una pieza de música.

Ella jugueteó con las llaves como si fueran un rosario. Finalmente contestó:

—Lo único que le interesaba de los demás era encontrar su punto débil y utilizarlo para conseguir lo que quisiera de ellos.

Hizo sonar las llaves.

—Pero sí, creo que compraba cosas a más personas.

Brunetti se fijó en las casas que había al otro lado del canal. La voz de la *signora* Marzi fue sustituida por el continuo tintineo de las llaves y por los pasos de la gente que venía por la calle y cruzaba el puente.

—Recuerdo que un día —dijo ella— Roberto le enseñó un libro y él le contestó que ya tenía una copia, pero que se lo quedaba igualmente.

—¿Recuerda qué libro era?

—No. A mí me parecían todos iguales: viejos y con tapas de cuero. No sé para qué los quiere la gente.

Incluso antes de que Brunetti decidiese no molestarse en explicárselo, ella añadió:

—Pero si podía venderlos por tanto dinero, deben de tener algún valor, ¿no?

Él asintió, le dio su tarjeta y le pidió que lo llamara al *telefonino* si recordaba cualquier otra cosa. Se sorprendió al ver que ella le tendía la mano y más todavía al notar que estrechársela no le resultaba desagradable.

19

Volvió sobre sus pasos y cogió el número 1 desde Santa Maria del Giglio para ahorrar tiempo y evitar el gentío, aunque quizá a esas horas el *vaporetto* no fuese la mejor opción. El desembarco y embarque en las pocas paradas que había antes de la suya parecían durar una eternidad; la multitud bloqueaba la salida tanto desde tierra como desde el propio barco. En Vallaresso, tras un retraso de seis minutos —sí, los contó—, estaba listo para hacerse con el control del barco o llamar a Foa para que lo viniese a rescatar. Imaginó la escena: Foa acercándose al *vaporetto* en marcha, más o menos como los había recogido en la Punta della Dogana, y él saltando a la lancha mientras los demás pasajeros miraban con una mezcla de asombro y envidia; eso lo tranquilizó para el resto del viaje.

Dejó de pensar en ello y se concentró en lo que le había dicho la *signora* Marzi: un hombre que no aparentaba tener conciencia y que no solo compraba libros robados sino que, si surgía la oportunidad, los robaba él mismo. Sin embargo, en su apartamento solamente habían encontrado diecisiete volúmenes, lo que tampoco podía considerarse el tesoro oculto de un gran perista y ladrón. No habían hallado ningún diario ni agenda; ni siquiera un ordenador. Únicamente un *telefonino* muy básico y sin batería que no tenía ni un solo número guardado y con el que no había hecho ni recibido ninguna llamada en más de tres meses.

Cuando llegó a la *questura*, se detuvo en la sala de agentes, pero allí no estaban Vianello ni Pucetti. Fue al despacho de la *signorina* Elettra y la encontró conversando con la *commissario* Claudia Griffoni: ella estaba sentada en su sitio y la *commissario* apoyada en el alféizar que con los años Brunetti había llegado a considerar suyo. Cuando entró en el despacho ambas se quedaron calladas, y antes de pensarlo, dijo:

—No quería interrumpiros.

En cuanto pronunció las palabras, se dio cuenta de que parecía un marido celoso. Claudia se echó a reír.

—Lo único que has interrumpido es una discusión sobre cómo acceder a los archivos del Ministerio de Exteriores.

No le cabía duda de que el futuro recuerdo de esas palabras de Griffoni, la ligereza con que las había dicho y la diversión que habían causado a la *signorina* Elettra lo sacarían un buen día de un sueño profundo, cuando los de seguridad nacional los estuviesen investigando a todos por el pillaje no autorizado —le pareció que usar la palabra adecuada era lo más correcto— que aquellas dos mujeres eran capaces de cometer juntas, después de que les hubiese costado tanto tiempo hacerse amigas. Se temía que Pucetti y Vianello también hubiesen sido corrompidos, absorbidos por ese vórtice cibernético que solo los podía conducir a una ineluctable perdición, o al menos eso se temía en los momentos más oscuros.

—¿Con qué fin? —preguntó tranquilamente.

—Corre el rumor —dijo la *signorina* Elettra omitiendo la fuente y el alcance de la historia— de que hay alguien en el Ministerio que ha conseguido hacer una copia de las conversaciones entre la Mafia y el Estado, y nos parecía que podía ser interesante escucharlas.

Como él bien sabía, los romanos adoraban a la diosa Fama, la de la casa de bronce bruñido de las mil ventanas; la que lo oía y lo repetía todo, primero en un susurro y después con voz atronadora. No cabe duda de que ella querría repetir las conversaciones telefónicas de políticos, grabadas hacía décadas, en las que discutían seriamente la posibilidad de hacer un pacto de no agresión con la Mafia. ¿Verdad o mentira? ¿Realidad o ficción? El Tribunal Supremo había dictaminado la destrucción de las cintas de esas supuestas conversaciones, pero Rumor declaró que las habían copiado antes de que se llevase a cabo.

Brunetti recordaba un tiempo en el que las cosas así le importaban, en el que sentía indignación y rabia por que todo aquello pudiese ocurrir, incluso por que hubiese personas que se lo creyeran. Y ahora escuchaba y asentía, sin creer ni dejar de hacerlo; simplemente con la voluntad de realizar su trabajo y regresar a casa para estar con su familia y leer el legado literario que habían dejado aquellos para quien Rumor era en efecto una diosa.

—¿En qué puedo ayudarlo, *commissario*? —preguntó la *signorina* Elettra.

Griffoni se apartó del alféizar, pero Brunetti alzó la mano para impedirle que se marchara.

—Se trata de la *signora* Marzi —dijo a la *signorina* Elettra.

Por su mirada se dio cuenta de que no había averiguado nada de interés, así que se preparó para la respuesta:

—Tengo la partida de nacimiento, el expediente escolar, el historial médico, el certificado de residencia, la historia laboral y las declaraciones de la renta, pero no hay nada que se salga en lo más mínimo de la normalidad. Nunca la han arrestado, aunque una vez la interrogaron como posible testigo; fue cuando asaltaron a Franchini. Pero no pudo decir nada porque no estaba presente. También obtuvo una orden judicial contra su antigua pareja, que la había amenazado en presencia de una testigo.

Brunetti no se sorprendió. Marzi había vivido una temporada con un delincuente de tres al cuarto, pero eso no la convertía en criminal y, ciertamente, había demostrado lealtad y gratitud a su patrón. No obstante, y por mucho que Brunetti fuese capaz de reconocer todo eso, no podía quitarse de la mente la indiferencia que la mujer mostraba frente a su propia ignorancia.

—¿Se sabe algo de Rizzardi? —preguntó para cambiar de tema.

La *signorina* Elettra negó con la cabeza.

—Aún es pronto —dijo a modo de recordatorio de que tan solo había pasado un día desde que encontraran a Franchini.

—¿Y sobre la donación de la *contessa* Morosini-Albani a la biblioteca?

La *signorina* Elettra asintió.

—La hizo en honor a su difunto marido y en aquel momento se dijo que estaba valorada en varios cientos de miles de euros —dijo, y enseguida añadió con cierto matiz de decepción—: No he tenido tiempo de verificar el valor de los volúmenes por separado, así que esa es la única cantidad que le puedo dar.

Hizo una pequeña pausa antes de seguir.

—He hablado con gente de otras bibliotecas y todos insisten en que tienen instalados sistemas que impiden el robo.

Brunetti miró a Griffoni, que respondió simplemente enarcando las cejas.

—Les he enviado copias de la foto de pasaporte de Nickerson y de la carta de recomendación para que comprueben si ha estado investigando en sus bibliotecas.

—¿Y ha estado haciéndolo? —preguntó Brunetti.

—No lo sabían, pero me han dicho que buscarían el nombre en los archivos.

—Y si ha utilizado un nombre distinto —interrumpió Griffoni—, ¿qué van a buscar en los archivos?

—A lo mejor tienen acceso a un registro central de gente que roba en bibliotecas —repuso Brunetti.

La *signorina* Elettra se limitó a responder con un bufido y Brunetti se volvió hacia Griffoni.

—¿Quieres acercarte conmigo a Castello y ayudarme a echar otro vistazo al apartamento?

Ella sonrió.

—Voy a por la chaqueta.

Por el camino le contó que estaba al tanto del caso; sabía incluso lo de la *signora* Marzi y Roberto Durà. Brunetti le habló del encuentro que acababa de tener con ella y de la certeza de que Franchini también robaba libros además de comprarlos robados.

Griffoni parecía ser consciente de la fascinación que los libros antiguos provocaban a tanta gente. Cuando él le preguntó por ello, le contó que había tenido un *fidanzato* que estuvo estudiando manuscritos de música en la Girolamini.

—Estaba convencido de que el manuscrito perdido

de la *Arianna* de Monteverdi estaba allí —le explicó y, al ver su confusión, prosiguió—: La llevaron al escenario mientras Monteverdi vivía y existen copias del libreto; pero toda la partitura se ha perdido, a excepción del *Lamento*. —Viendo que le estaba prestando toda su atención, siguió hablando—. Por lo que entendí cuando él me hablaba del tema, se trata del monstruo del lago Ness de la musicología: alguien vio el manuscrito hace mucho tiempo y hay gente que cree que aún ronda por ahí.

—¿Alguna vez estuviste en la Girolamini?

Ella se detuvo, como si no fuese capaz de caminar y hablar de aquello al mismo tiempo.

—Sí: es el paraíso. Hay más de cien mil volúmenes, cientos de incunables. Mi amigo iba por las partituras, pero yo pasé dos días mirando los libros sobre la historia de Nápoles. Eran increíbles.

—La han cerrado, ¿verdad? —preguntó Brunetti.

—Cuando entraron los *carabinieri*, lo precintaron todo —dijo, y echó a andar—. Daba pena ver el sitio: un auténtico saqueo.

—Hace que lo de la Merula parezca de patio de colegio.

—Yo les cortaría las manos —dijo ella con voz furiosa.

—¿Perdona?

—A los que roban libros, destruyen cuadros o estropean cosas. Les cortaría las manos.

—Espero que sea una metáfora —dijo él, preguntándose qué enseñaban a los niños en la actualidad en las escuelas de Nápoles.

—Claro que hablo figuradamente. Les confiscaría las posesiones hasta que hubiesen pagado lo que hubieran robado o destruido, o los metería en la cárcel hasta que pagasen lo suficiente.

—¿Y si no pudieran hacerlo?

Se detuvo repentinamente para mirarlo a la cara.

—Venga, Guido, no seas tan literal. Ya sabes que no hablo en serio. Es que estas cosas me ponen de los nervios. Tanta belleza que le hemos dado al mundo y ver que la destruyen, la roban y la echan a perder...

Dejó la frase sin acabar y siguió caminando. Entonces cruzaron el puente que daba al *campo* y vieron la casa de Franchini al fondo.

Brunetti abrió la puerta con las llaves que se había quedado el día anterior, y mientras subían las escaleras Griffoni le hizo una pregunta.

—¿Sabemos qué estamos buscando?

Brunetti se detuvo frente a la puerta del apartamento y metió la llave en la cerradura.

—¿Me prometes que no te reirás si te digo que estamos buscando cualquier cosa que parezca sospechosa?

—Ya no sé ni en cuántos sitios he buscado «cualquier cosa que parezca sospechosa».

—¿Y alguna vez has encontrado algo?

—Una vez di con veinte kilos de cocaína.

—¿Dónde?

—En una guardería privada de las afueras de Nápoles. La mujer que la llevaba era la prima del jefe de la zona. Se declaró un incendio en la cocina y los bomberos la encontraron allí, escondida en un armario. Nos avisaron ellos.

—¿Qué pasó?

—Pues lo de siempre: nada.

—¿Cómo?

—Ya sabes. Confiscamos la droga, pero esa misma noche desapareció del sótano de la *questura*, de modo que no tuvimos pruebas contra ella. El personal de cocina juraba que no era más que harina.

Brunetti abrió la puerta y la sujetó para que pasase Griffoni.

—Te lo estás inventando, ¿no?

—Ojalá.

Entró en el apartamento tras ella y encendió las luces.

—Muy bien —dijo—: cualquier cosa que parezca sospechosa.

Una hora más tarde no habían conseguido nada remotamente sospechoso. Antes de entrar, Brunetti la había avisado de que había sangre en las paredes y en el suelo, pero Griffoni le dijo que la primera vez que vio una víctima de la Mafia tenía seis años: el cadáver estaba tirado en la calle, delante de la escuela.

El vestuario de Franchini era caro: camisas hechas a mano, cinco chaquetas de cachemira y un sinfín de pares de zapatos caros. Debajo de la cama y del colchón no había nada escondido, y en las estanterías superiores del armario solamente había lencería de cama y toallas. La cisterna contenía simplemente agua y el armarito del baño, aspirinas y pasta de dientes. En el escritorio del estudio, Brunetti encontró unos extractos del banco que mostraban que Franchini recibía una pensión de seiscientos cincuenta y nueve euros al mes.

Contrariado porque su corazonada no le hubiese proporcionado ninguna recompensa, revisó el resto de los papeles del escritorio sin prestar demasiada atención: recibos del agua, electricidad, gas y recogida de basuras. Como hacía a menudo, Brunetti se puso a pensar en libros que había leído y de pronto recordó un relato sobre un detective al que mandan a casa de un sospechoso a buscar una carta muy importante. Aunque rebusca por todas partes, no encuentra ni rastro de la misma; no hasta que ve un montón de cartas que están en la habitación a simple vista: ahí estaba la que buscaba, escondida entre otros papeles.

Dejó la carpeta con los extractos de la pensión de Franchini sobre la mesa y se acercó a la librería. Se arrodilló, pues un ladrón le había confesado que la gente siempre escondía las cosas en lugares cerca del suelo creyendo que los ladrones no las encontrarían, y sacó una edición moderna en cartoné de *La mandrágora* de Maquiavelo. Lo hojeó, lo abrió por la mitad, leyó unas cuantas líneas, lo cerró y lo dejó en el suelo. Al lado estaba el *Discurso sobre la primera década de Tito Livio*, un libro que Brunetti siempre prefirió a *El príncipe*. Cuando lo abrió para leer algunos párrafos, sintió que algo se le escurría entre los dedos. Lo atrapó con la mano derecha y lo acabó de sacar, como una cuchilla de su vaina. Al ver el tafilete de color marrón desgastado por la edad, comprendió.

—Claudia —dijo, y se puso en pie.

Un momento después, ella salió de la cocina con un pelador de patatas en la mano derecha; había estado hurgando en los armarios. Se dio cuenta de que él lo estaba mirando.

—Se puede usar como destornillador. Es que estoy intentando desmontar el rodapié.

—Eso puede esperar —dijo, y le mostró la cubierta y el libro que había descubierto en su interior—. Mira qué he encontrado.

Griffoni llevaba guantes de plástico, pero Brunetti se había olvidado de ponerse los suyos, así que dejó el libro en el suelo y sacó un par del bolsillo. Después lo recogió y estudió la encuadernación.

—Está en hebreo —dijo mientras le ofrecía el ejemplar.

Ella lo abrió, y juntos observaron la página a doble columna y las cinco letras iluminadas que encabezaban la mitad derecha de la página. Lo cerró y se quedaron sin saber nada más sobre el texto que antes de que ella hubiese abierto el libro.

—¿Dónde estaba? —preguntó ella.

—Escondido dentro de un libro —dijo antes de recuperar las cubiertas vacías y colocar el libro en hebreo dentro.

—Qué zorro —dijo ella sin poder ocultar su admiración.

Miró los lomos de los libros que quedaban en la estantería.

—¿Todos? —preguntó al tiempo que evaluaba la tarea que tenían frente a ellos.

—Por fin algo que parece sospechoso —dijo Brunetti—. Es lo menos que podemos hacer.

Y cogió otro.

Una hora más tarde habían examinado todos los volúmenes de la librería y habían hallado treinta y siete textos antiguos escondidos dentro de libros modernos; tantos que Brunetti tuvo que llamar a Foa para que fuese a recogerlos. Junto a la pared de su izquierda habían abandonado pilas de libros, cascadas, montones de ellos; algunos intactos y otros destripados: los que Franchini había usado como camuflaje.

Además de los libros, escondidos dentro de una primera edición de *El capital* de Marx habían encontrado extractos de un banco privado de Lugano y de otro de Luxemburgo en cuyas cuentas se acumulaba un total de un millón trescientos mil euros. La cuenta de Lugano tenía más de doce años de antigüedad, pero la de Luxemburgo solo tres. La mayoría de los ingresos se habían hecho en efectivo, aunque había varias transferencias; no obstante, todos los reintegros eran en metálico. Dado que se trataba de la investigación de un asesinato, se podía obligar a los bancos a revelar la fuente de dichas transferencias, y a Brunetti se le pasó por la cabeza que al Departamento de Robos de Arte también podían interesarle los números de cuenta desde los que se había enviado el dinero.

Había tenido la previsión de pedirle a Foa que acudiese con dos cajas de cartón, así que cuando llamó al timbre desde la calle le abrió la puerta para que subiese. Para entonces, Brunetti y Griffoni habían llevado los libros al pasillo y los habían apilado sobre una mesita que había junto a la puerta. Cuando el piloto llegó, como no llevaba guantes, el comisario le pidió que sujetara las cajas, primero una y después la otra, mientras él y Griffoni los metían dentro.

Una vez en la escalera, Brunetti cerró con llave, cogió una de las cajas de los brazos de Foa y bajaron las escaleras.

—¿Qué pasa con los libros que hemos dejado? —preguntó Griffoni.

Brunetti se encogió de hombros. Alguien tendría que volver a colocarlos; seguramente el hermano de Franchini, si quería conservar la casa. Lo que a él le interesaba en ese momento eran los documentos bancarios y hallar a alguien a quien consultar el valor de los libros que acababan de encontrar. Los extractos, que ya estaban expresados claramente en números, no daban lugar a confusión alguna.

Saliendo de la casa de Franchini, Brunetti se sorprendió al ver que la oscuridad había caído como un manto sobre el *campo*. Miró la hora y vio que eran las nueve pasadas: llevaban en el apartamento más de tres horas y estaba exhausto y, ahora que se daba cuenta de la hora, también hambriento. Sin embargo, el asunto avanzaba por fin y desestimó el hambre y el cansancio.

Mientras entraban en el canal que iba a dar a la *questura*, Brunetti empezó a hacer una relación de las personas que le podían ser de ayuda. El primer hombre que le vino a la cabeza vivía en Roma y no había hablado con él desde hacía años; sin embargo, Sella había estado prometido con su prima hacía una década y habían permanecido en contacto desde entonces.

—¿Por qué no? —dijo en voz alta.

—¿Perdona? —dijo Griffoni compitiendo con el ruido del motor.

—Conozco a alguien —respondió Brunetti, y se acercó a ella— que nos puede decir cuánto valor tienen los libros.

Se dijo que ya le habían costado la vida a Franchini, pero no le pareció oportuno expresarlo. Antes de que la lancha se detuviera junto a la *questura*, ya había marcado el número de Sella.

Sin respetar las formalidades habituales, Brunetti le preguntó si podía darle una idea del valor en el mercado de una serie de libros.

—Guido —dijo Sella en el silencio repentino que se hizo cuando Foa apagó el motor—, no tengo ni idea de por qué me llamas a estas horas y tampoco sé en qué siglo crees que vives.

—¿Qué? —preguntó Brunetti, que se temía que el ruido del motor le hubiese impedido escuchar algo de lo que Sella hubiese dicho.

—¿Has oído hablar de internet?

—¿A qué te refieres?

—Allí lo encuentras prácticamente todo.

El silencio de Brunetti debió de recordarle con quién estaba hablando, porque tras dejar pasar un momento, dijo:

—Si me envías la información de edición, te lo busco yo, Guido.

Antes de que Brunetti se lo pudiera agradecer, Sella le preguntó refiriéndose a su esposa:

—Sabes que Regina es psicóloga, ¿verdad?

A Brunetti se le había olvidado.

—Sí, lo sé. ¿Por qué lo dices?

—En su idioma esto se llama «impotencia aprendida». ¿Has visto los libros de los que me hablas?

Brunetti respondió sin hacer caso del primer comentario.

—Algunos.

El choque de la lancha contra el muelle le hizo tambalearse ligeramente, pero logró mantener el teléfono en la mano y la mente en la conversación.

—¿En qué estado se encuentran, más o menos? —preguntó Sella.

—Los que yo he visto parecían estar bien, pero no soy ningún experto.

—Bueno —dijo Sella entre risas—, yo sí lo soy. Envíame una lista de todo lo que aparezca en la portada de cada uno de ellos y dime si algo te parece que esté en malas condiciones.

Hizo una larga pausa antes de preguntar:

—¿Me equivoco al suponer que se trata de libros robados?

—No.

—Entonces se encontrarán en buen estado.

—¿Por qué estás tan seguro?

—Nadie se molestaría en robar un libro desvencijado.

Les llevó más de una hora añadir los treinta y ocho títulos y la información de edición a la lista que ya contenía los demás libros. Griffoni al ordenador y Brunetti abriendo libro tras libro para leer en voz alta los datos de la portada sobre el autor, la fecha y el lugar de publicación. Tal y como Sella había predicho, y a juicio de Brunetti, todos estaban en muy buen estado. Cuando aparecía un libro con el sello de una biblioteca o de una colección, el trabajo se hacía aún más lento porque Griffoni incluía esa información en una segunda lista que no era para Sella.

Veintiuno de ellos provenían de bibliotecas y tres tenían algún indicio de pertenecer a una colección privada. Dos de ellos llevaban la insignia del delfín y las iniciales «P. D.». Brunetti sospechaba que los otros catorce se habían extraído de otras colecciones, y que o bien lo había hecho el propio Franchini o bien las personas que se los habían vendido. Lo mismo se podía decir de los que tenían los sellos bibliotecarios. En cuanto a una lista de clientes, debía de tenerla Franchini en la cabeza, pero los extractos bancarios quizá pudieran proporcionarles algún nombre.

Si Sella era la mitad de bueno de lo que él mismo siempre decía, iba a descubrir su valor con bastante rapidez.

Una vez tuvieron las listas preparadas y enviaron la correspondiente a Sella, Griffoni hizo girar la silla para apartarse de la pantalla del ordenador y mirar a Brunetti.

—¿Y ahora qué? —preguntó.

—Comprobamos qué ha entrado y después nos vamos los dos a casa —dijo Brunetti señalando el ordenador con la barbilla.

Se intercambiaron los sitios. El primer correo electrónico era de Rizzardi, que confirmaba que tres golpes con un objeto grueso y pesado, seguramente una bota o un zapato, habían hecho añicos el cráneo de la víctima y le habían roto la mandíbula. El golpe en esta última, aunque no era mortal, era la fuente de toda la sangre. Los golpes recibidos en la nuca le habían fracturado el cráneo y además le habían dañado el cerebro de tal manera que la muerte era inevitable. Había otras señales de violencia: magulladuras en los brazos y otra en el hombro derecho, donde se había dado contra el suelo o la pared. En la palma de la mano derecha se le había clavado una astilla del parqué.

Rizzardi escribía en su informe que era posible que hubiese sobrevivido unos minutos, aunque muy pocos, después de recibir las patadas en la nuca; aun así, era posible que retuviese la suficiente capacidad motriz como para ponerse en pie y dar unos pasos, intentando escapar de forma instintiva. Pero que los golpes habían puesto en marcha un proceso que únicamente podía culminar en su muerte, a medida que el cerebro iba paralizando los diferentes sistemas necesarios para mantenerlo con vida. Entonces, en los últimos párrafos y como si quisiera responder a una posible pregunta de Brunetti, el patólogo añadía: «Es muy poco probable que sufriese más allá de sentir el dolor inmediato de los golpes. El cerebro había sufrido suficientes daños como para impedir que fuese consciente de lo que le estaba ocurriendo».

De modo que no llegó a saber que estaba herido o muriéndose. Pero ¿cómo podía estar Rizzardi tan seguro?

¿Y por qué creía que era importante que Brunetti lo supiese?

Había otro correo de Bocchese, que afirmaba que las tres huellas de pie derecho que encontraron en la habitación eran de una bota de la talla cuarenta y tres con suela gruesa y de rejilla. No especulaba con por qué desaparecían las huellas; sin embargo, añadía que la noche siguiente al asesinato había llovido copiosamente y eso eliminaba cualquier posibilidad de encontrar restos de sangre en el *campo*, delante de la casa.

El técnico también informaba sobre las huellas dactilares y especificaba que el personal del laboratorio solamente había tenido tiempo de comprobar las páginas de los libros de la biblioteca Merula contiguas a las que se habían arrancado. Las huellas del fallecido no aparecían en ninguno de esos libros, aunque todos tenían las de una persona desconocida, además de otras que no eran identificables. Las de la *dottoressa* Fabbiani y las del vigilante, a quien Bocchese llamó Piero Sartorio, aparecían en la encuadernación del Cortés y en algunas de las páginas contiguas.

En un tercer párrafo escribía que toda la sangre que había en el apartamento era de la víctima. Habían hallado restos de ADN de otra persona en la ropa, pero esa información era inútil a menos que arrestasen a un sospechoso y pudieran comparar los resultados. O no.

Brunetti se apartó para dejar que Griffoni leyera ambos mensajes.

—¿Qué opinas? —preguntó.

—Cuánta violencia —dijo ella—. Patadas... —añadió con voz grave—. Quienquiera que lo hiciese, perdió el control. Nadie planea algo así.

Brunetti estaba de acuerdo con ella. Se trataba de un

ataque de rabia o de locura. Miró la hora y vio que era más de medianoche.

—Creo que deberíamos irnos a casa —dijo con la necesidad de alejarse de cualquier pensamiento de locura y violencia—. Habrá algún patrón de guardia; podemos ir juntos. Mi casa está de camino a la tuya —añadió, aunque solamente tenía una ligera idea de que ella vivía en Cannaregio, cerca de la Misericordia.

Griffoni asintió y salieron juntos de la *questura*.

20

Al día siguiente, Brunetti fue a trabajar temprano, y cuando Bocchese llegó a las ocho ya estaba sentado frente a la puerta del laboratorio, leyendo *Il Gazzettino*. Las dos cajas de libros estaban en el suelo, junto a la silla.

—¿Puedes mirar la encuadernación? Solamente la encuadernación —dijo Brunetti a modo de saludo.

—¿Para ver si hay huellas? —preguntó Bocchese mientras abría la puerta con la llave.

Brunetti se agachó, cogió una de las cajas y siguió al técnico hasta el interior del laboratorio.

—Sí —dijo, y salió a buscar la otra.

—¿Has dormido? —preguntó el técnico antes de accionar el interruptor de las luces.

—Muy poco —contestó Brunetti al tiempo que dejaba la segunda caja—. ¿Podrás hacerlo esta mañana?

—¿Me dejarás vivir tranquilo si no lo hago? —preguntó Bocchese mientras se quitaba la chaqueta y se ponía la bata blanca.

Se acercó al ordenador y lo puso en marcha.

—No —admitió Brunetti.

—Ni se te ocurra molestarme antes de las doce —dijo

el técnico, y se llevó la primera caja a una mesa que había al fondo de la sala—. Ahora vete a por otro café y déjame en paz.

Nervioso por la falta de sueño y el exceso de café, Brunetti no esperó a que lo llamaran, sino que acudió al despacho de Patta a las once, hora a la que había calculado —sin error— que ya habría llegado su superior. Se encontró con él en el pasillo que llevaba hasta su despacho, hablando con su asistente, el teniente Scarpa.

—Ah, *commissario* —dijo Patta—. Precisamente hablábamos de usted.

Brunetti saludó con un gesto de la cabeza a medida que se acercaba y prefirió hacer caso omiso del comentario del *vicequestore*.

—Vengo a contarle lo que he averiguado sobre la muerte de Aldo Franchini, *dottore* —dijo con rigurosa formalidad.

Mientras aguardaba la reacción de Patta, Brunetti calculó cuál era la situación en cuanto a rangos: Patta podía decir lo que le viniese en gana a cualquiera de los dos; Brunetti podía ser pasivo-agresivo con Patta y directamente agresivo con Scarpa; mientras que este debía limitarse a ser respetuoso y cortés cuando trataba con Patta y no se atrevía a ir más allá de una falta de respeto irónica en su relación con Brunetti. No obstante, los tres trataban a la *signorina* Elettra con el más absoluto respeto: Patta a causa de lo que probablemente él mismo no identificaba como miedo, Brunetti por pura admiración y Scarpa por una mezcla de aversión y miedo no reconocido.

—¿Y qué ha averiguado? —preguntó Patta con su enérgica voz de líder.

Scarpa, que era más alto que Patta pero de la misma estatura que Brunetti, miró hacia él como si le debiera parte de la explicación. Ocasionalmente mostraba curiosidad, del mismo modo que las serpientes se interesan de vez en cuando por la temperatura ambiente.

—Al parecer conocía a quien lo mató. Dejó un libro boca abajo en el salón mientras iba a abrir la puerta y después volvió a entrar con la persona en cuestión.

—¿Cómo lo mató? —preguntó Patta—. No he tenido tiempo de leer el informe del patólogo.

Igual que no había tenido tiempo, añadió Brunetti para sí, de aprenderse el nombre de dicho patólogo después de tantos años.

—El *dottor* Rizzardi opina que lo derribaron o lo tiraron al suelo y que después le dieron patadas en la cabeza; pero que aún tuvo fuerza suficiente para levantarse. Murió a causa de esos golpes, seguramente muy poco después de la agresión.

—¿Qué hay del asesino? —interrumpió Scarpa, y luego se dirigió a Patta—: Si me permite la pregunta, *vicequestore.*

De haber llevado un gorro con penacho, se lo hubiese quitado con mucha floritura y habría hecho una elegante reverencia.

Brunetti habló dirigiéndose directamente a Patta.

—No tenemos ningún dato que nos dé idea de quién puede ser, *dottore.* Sin embargo, hemos encontrado pruebas de que Franchini estaba involucrado en el robo de libros en bibliotecas y domicilios privados, y eso podría conducirnos al asesino.

—¿Creen que se trata de un hombre? —preguntó entonces Scarpa.

Si las voces tuvieran cejas, las habría enarcado.

—Sí —dijo Brunetti—. Un hombre o una mujer con botas del cuarenta y tres.

—¿Disculpe? —dijo Patta.

—Había tres huellas pertenecientes a una bota del número cuarenta y tres.

—¿Tres? —preguntó Scarpa como si Brunetti hubiese intentado contar un chiste y él no lo hubiese entendido o no le hubiese hecho gracia.

El comisario se volvió hacia él y lo miró fijamente hasta que el otro apartó la mirada.

—¿Algo más? —preguntó Patta.

—No, *dottore*.

—¿Cuál es el siguiente paso? —preguntó Patta con más calma.

—Estoy esperando a que me digan algo de dos bancos, de Lugano y Luxemburgo; quiero saber quién ingresó dinero en las cuentas de Franchini, probablemente a cambio de libros robados. Y aún estoy pendiente de si la Interpol ha identificado al hombre llamado Nickerson.

—¿A quién? —preguntó Patta.

—Es el nombre que usaba el hombre que robó las páginas de los libros de la biblioteca Merula —dijo Brunetti sin alterarse, como si estuviese convencido de que esa era la primera vez que su superior había tenido ocasión de escuchar aquel nombre—. Nos hemos puesto en contacto con el Departamento de Robos de Arte y con la Interpol, pero aún no han contestado.

Patta puso cara de llevar mucho tiempo soportando el mismo sufrimiento y suspiró como si él también conociese de primera mano las largas esperas a las que los sometía la Interpol.

—Ya sé, ya —dijo, y dio media vuelta—. Infórmeme en cuanto sepa algo.

—Por supuesto, *vicequestore* —respondió Brunetti, y

fingiendo que el teniente no estaba presente se marchó sin más.

Hizo una parada en la oficina de los agentes de camino a su despacho y se enteró por Vianello de que las horas que habían pasado haciendo preguntas por el vecindario no habían resultado en ningún dato útil. Los vecinos que se acordaban de Franchini lo recordaban de pequeño o como joven cura, pero ninguno había tenido contacto con él desde que había vuelto a instalarse en el apartamento familiar tras la muerte de sus padres. A ninguna de las personas con que Vianello y Pucetti habían hablado les parecía raro que se hubiese aislado: todos asumían que su decisión de abandonar el sacerdocio implicaba también que de algún modo renunciaba a las relaciones sociales.

Nadie era capaz de decir nada sobre él, o bien no querían hacerlo. Tampoco recordaban haberlo visto acompañado de otra persona. Todos aquellos con los que hablaron habían manifestado asombro por su muerte.

Ya en su despacho, Brunetti se sentó frente al escritorio y pensó en Tertuliano. No en el que según san Jerónimo vivió hasta edad extremadamente avanzada, sino en el que había muerto a patadas en Castello.

No parecía tener una relación estrecha con ninguna otra persona. Brunetti se resistía a contar como relaciones personales una llamada semanal de su hermano, que recibía incluso después de haberle robado parte de la herencia, y una mujer a la que sedujo para poder robarle libros. Aquel hombre quería ser alguien importante en el mundo y lo intentaba a base de robar, seducir y chantajear.

Se puso a pensar en el otro Tertuliano y, preso de la curiosidad, encendió el ordenador y entró en internet.

Cuando lo encontró, buscó cosas que hubiese dicho o que, por lo menos, se le hubiesen atribuido: «Todo el fruto se halla ya presente en la semilla», «Salir de la sartén para caer en las brasas». Así que de ahí venía el refrán. Y entonces esta: «El que vive únicamente para su propio provecho, le concede el mismo al mundo cuando muere». Oh, qué fieros eran esos primeros cristianos. Y otra más: «Si dices que eres cristiano pero juegas a los dados, dices que eres lo que no eres, porque estás participando del mundo».

Brunetti respondió entre dientes, como hacía siempre que un libro decía algo que le fastidiaba, aunque lo único que se le ocurrió fue:

—¿Qué tiene de malo jugar a los dados?

Entonces se acordó: Sartor había querido desestimar el juego llamándolo *«roba da donne»*. Cosas de mujeres. ¿Por qué iba a calcular Sartor las posibilidades de que un bebé fuese niño o niña si no le interesaba el juego? ¿Y por qué llevaba los bolsillos llenos de billetes de lotería? ¿Y por qué mentir sobre algo tan trivial, si es que había mentido? ¿Para no perder la dignidad ante la policía? Ante la policía, ¿de veras?

Miró la hora y vio que pasaban tres minutos de las doce. Cogió el teléfono y marcó el número de Bocchese.

—Te estás volviendo una vieja pesada, Guido —dijo el técnico a modo de saludo.

—Los libros: ¿has podido echarles un vistazo?

—Una vieja pesada e impaciente —corrigió Bocchese.

—¿Cuántas?

—Espera un momento.

El sonido quedó amortiguado un instante por la mano de Bocchese, que había tapado el auricular para llamar a un trabajador del laboratorio, pero enseguida volvió.

—Trece.

—¿Hay alguna de Sartor? Sartorio no, Sartor: el vigilante.

Bocchese volvió a cubrir el auricular y lo único que Brunetti alcanzaba a oír era el tarareo de su voz.

—Seis.

—¿Dónde?

—En las tapas.

—Los que tratan con libros las llaman cubiertas —dijo Brunetti con la intención de parecerle una vieja pesada, impaciente y quisquillosa.

Y para disipar todo asomo de duda, preguntó:

—¿Eran de la Merula?

—Por Dios, Guido...

Bocchese dejó el teléfono sin ningún cuidado y Brunetti escuchó que sus pasos se alejaban de la mesa. Poco después, oyó que se acercaba.

—Sí. Sus huellas estaban en las cubiertas —palabra que pronunció con gran énfasis— de los seis libros de la Merula.

—Gracias —dijo Brunetti—. ¿Cuándo habrás terminado con ellos?

Bocchese suspiró dramáticamente.

—Si solamente te interesan las huellas de este hombre, te puedo decir algo mañana por la mañana.

Entonces, quizá para ahorrarle a Brunetti la molestia de tener que insistir, le hizo una propuesta.

—Si prometes no volver a llamar otra vez para preguntar sobre el tema, quizá lo pueda tener hoy a última hora.

—¿Y si quiero información sobre todas las huellas?

—Mínimo dos días.

—Espero tu llamada —dijo Brunetti, y colgó.

La falta de congruencia entre el comentario de Sartor sobre que el juego era «*roba da donne*» y su aparente interés en él era tan insignificante que podía no significar nada. Quizá los billetes de lotería realmente fuesen de su esposa y el interés que tenía en el sexo del bebé de su compañera de trabajo era inocente. Sin embargo, sus huellas estaban en los libros. Brunetti sacó el listín telefónico y lo abrió por la ce en busca del número del *casinò*, un lugar que había sido sometido a varias investigaciones, aunque ninguna en el último año. Marcó el número principal, dijo su nombre y pidió que le pusieran con el director.

Le pasaron inmediatamente y sin hacer preguntas: Brunetti se dijo si era a eso a lo que Franchini llamaba ser alguien importante.

—Ah, *dottor* Brunetti —oyó decir al director con su voz más amigable—. ¿En qué puedo ayudarle?

—*Dottor* Alvino —respondió Brunetti con voz melosa—, espero que todo les esté yendo bien.

—Ah —un largo suspiro—, tan bien como puede ir.

—¿Siguen perdiendo dinero? —preguntó Brunetti con su buena mano para los pacientes enfermos.

—Desgraciadamente, sí. Nadie se lo explica.

El comisario podría habérselo explicado sin problema, pero se trataba de una llamada amistosa.

—Seguro que la cosa cambiará.

—Tenemos confianza en la buena fortuna —dijo el *dottor* Alvino con la misma fe que sus clientes—. ¿Qué puedo hacer por usted, *dottore*?

—Quiero pedirle un favor.

—¿Un favor?

—Sí, necesito cierta información.

—¿Sobre qué, si no le importa que le pregunte?

—Sobre un... —¿Cómo debía referirse a uno de esos pobres ilusos?—. Uno de sus clientes, o un posible cliente.

—¿Qué tipo de información?

—Me gustaría saber cuán a menudo va, si gana o pierde y cuánto.

—Usted sabe que tenemos la obligación de registrar a todos los clientes —dijo el *dottor* Alvino, fingiendo que a lo largo de los años Brunetti no se había convertido en un experto en las normas que rigen la conducta del *casinò* ni en sus prácticas organizativas menos formales—. Así que, por supuesto, disponemos de los nombres de las personas que vienen y las fechas. Estaré encantado de proporcionarle esos datos.

El director hizo una pausa significativa.

—¿Obedece esto al requerimiento de un juez, por casualidad?

—*Dottore*, esa es una pregunta muy astuta. Verá, me corre cierta prisa, por eso he acudido a usted directamente. A título personal.

—¿A modo de favor?

—Sí, es un favor.

La conversación era perfecta para un *casinò*: Brunetti había puesto su ficha sobre la mesa, se la estaba ofreciendo al director para que la usase en otro momento.

—En cuanto a la segunda parte de su petición, ya sabe que no hay un registro oficial de esa información.

El tono del director le dejó claro que estaba familiarizado con la dinámica del póquer y la costumbre de subir la apuesta inicial.

—Sí, estoy al tanto de que no hay un registro oficial, *dottore*, pero estaba pensando que quizá tengan algún tipo de lista informal de clientes especiales; quizá de aquellos que vayan más a menudo o que se jueguen cantidades más altas de lo habitual. Algo así.

¿Cuántos de los crupieres a los que había interrogado a lo largo de su carrera le habían contado eso?

—Entonces, ¿es este el favor al que se refería, *dottore*?

—Así es. Le estaría muy agradecido.

—Eso espero —dijo Alvino con naturalidad—. ¿Cómo se llama?

—Sartor, Piero.

—Un momento —dijo, y el teléfono hizo un ruido al tocar una superficie dura.

Pasaron varios minutos y Brunetti aprovechó para mirar por la ventana. Cuatro golondrinas pasaron volando de derecha a izquierda. Los romanos lo hubiesen considerado un presagio.

—*Dottore?* —escuchó, y prestó atención a la voz del oráculo.

—Sí.

—Ha estado aquí veintitrés veces en el último año.

Brunetti esperó: esta no era la parte de la pregunta por la que iba a deber un favor.

—Y en ese periodo ha perdido del orden de treinta mil a cincuenta mil euros.

—Entiendo —dijo Brunetti.

Entonces, como si no tuviese ni idea de cómo era posible, añadió:

—¿Cómo es que conocen la cifra, *dottore*?

—Los crupieres echan un ojo a ciertos clientes y nos tienen al tanto de lo que ganan o pierden. De forma aproximada, espero que se haga cargo de eso.

—Por supuesto, claro que sí —dijo Brunetti.

Se mordió la lengua a fin de evitar decir que para un director debía de ser muy agradable saber que alguien sufría pérdidas tan serias. Aunque, al fin y al cabo, todos perdían; si no, ¿qué sentido tenía un *casinò*?

—Le estoy eternamente agradecido por la información, *dottore*.

—Siempre me alegra poder ayudar a cualquiera de las agencias del Estado, *dottore*. Espero haberlo probado en suficientes ocasiones.

—Por supuesto que sí. Con creces —contestó el comisario.

Se preguntaba si Alvino iba a decir que esperaba que no se olvidara de ello si se volvían a encontrar. Pero no fue así y a Brunetti le cayó algo mejor. Lo único que el director dijo fue:

—Si puedo ayudarlo en algo más, no dude en llamarme, *dottor* Brunetti.

Terminaron la conversación con las fórmulas habituales de cortesía y finalmente Brunetti colgó.

21

Pensó en Griffoni. ¿Qué le parecería peor a ella?, ¿la posibilidad de que Sartor fuese un asesino o la de que hubiese robado y vendido libros antiguos de la Merula, y puede que de otras bibliotecas, por valor de hasta cincuenta mil euros y después se hubiese jugado esta pequeña porción del patrimonio de Italia? Creía que se decantaría por la primera opción, pero no antes de superar la tentación de la segunda.

Su propia respuesta fue más comedida. Se daba cuenta de que no disponía de pruebas de que Sartor hubiese robado los libros ni de que hubiera matado a Franchini. No se podía colgar a un hombre por prevaricación ni por que sus huellas apareciesen en un libro. Se acordó de lo alegremente que había escuchado la historia de Sartor sobre su interés en los libros que leían Nickerson y el resto de los investigadores y retrocedió en la memoria hasta su primera conversación: la encantadora sinceridad del hombre sin educación académica que afirmaba su admiración por los libros. Había mostrado la justa medida de una modestia más que adecuada para un hombre de su condición, alguien que no podía sino aspirar a cosas que estaban más allá de su alcance. No era un vigilante: era un lector.

Cual gato curioso, Brunetti había caído en la trampa y había creído que Sartor era tal y como se presentaba.

De pronto le sonó el teléfono.

—*Commissario* —dijo la *signorina* Elettra cuando contestó—. Me acaban de llamar de la Interpol. El doctor Nickerson, el académico estadounidense, no es doctor ni se llama Nickerson ni es estadounidense ni académico.

—¿Italiano? —preguntó Brunetti.

—Uno de los de Nápoles: Filippo D'Alessio —dijo ella—. ¿Quiere que le envíe el archivo?

—Por favor.

—Ya está hecho —dijo, y se cortó la comunicación.

Le gustaba que le hubiese llamado a él primero para decirle lo que había averiguado, como una niña en la playa que al regalar la preciosa concha que ha encontrado en la arena desea que la elogien.

Cuando encendió el ordenador, el mensaje ya había llegado. Filippo D'Alessio tenía un largo historial que incluía suplantación de identidad y robo, la primera al servicio del segundo. Hablaba alemán, italiano, inglés, francés, español y griego con fluidez y lo buscaba la policía de los países en los que se hablaban esos idiomas.

En Italia lo habían arrestado en dos ocasiones por robo de tarjetas de crédito y otras tres por una estafa postal. También lo buscaban en tres países por robo de libros y páginas sueltas. El patrón era siempre el mismo: asumía la identidad de un académico y empezaba a investigar en un campo; a veces lo hacía en museos, pero principalmente en bibliotecas. En Austria y Alemania era Josef Nicolai, y en España, José Nicolás. A Joseph Nickerson lo buscaba la policía de Nueva York y de Urbana, y a sus cognados, en Berlín y Madrid. Pero nadie sabía qué quería la policía griega.

La Interpol había enviado su foto a algunas bibliotecas, cuyos bibliotecarios la habían enviado a otros compañeros que ya se habían dado cuenta de la desolación que dejaba el joven académico tras de sí. Brunetti tenía la sospecha de que aún eran muchas las bibliotecas que estaban por descubrir los resultados de los estudios realizados, por ejemplo, por Joseph Nicollet en la Bibliothèque Nationale o por Jozef Nosequién en la Universidad de Cracovia.

Para el Departamento de Robos de Arte era un profesional al servicio de cualquiera que quisiera volúmenes específicos o páginas por encargo. Su familia afirmaba haber perdido el contacto con él, aunque no hacía mucho que su padre —un zapatero jubilado— había comprado un apartamento de seis habitaciones en el centro de Nápoles con el dinero que le había ingresado «una tía de las Islas Caimán».

Brunetti acabó de leer la documentación y de pronto se dio cuenta de que, tras la intensa actividad de los últimos días, no tenía nada más que hacer que esperar la llamada de Bocchese. Se acercó una hoja de papel y empezó a esbozar una posible situación. Escribió la palabra «libros» dentro de un círculo en el centro de la página y dibujó una línea recta que conducía a otro círculo en el que escribió «Nickerson / D'Alessio»; después volvió al primer círculo y lo conectó con «Franchini» y con «Sartor». Entonces vio la posible conexión y unió Nickerson / D'Alessio con Franchini y escribió un signo de interrogación por encima de la línea.

¿En qué pensaba el antiguo cura todos esos años mientras leía a san Ambrosio, san Cipriano y san Jerónimo? Ya traficaba con libros con la ayuda de Durà y acumulaba volúmenes que seguramente había adquirido en bibliotecas de Vicenza durante la época en la que trabajó allí. Tras tanto tiempo, a Brunetti no le cabía duda de que tenía una lista de clientes.

Tres años de lectura en la Merula era tiempo suficiente para haber reclutado a Sartor, así que podía conectarlos con una flecha de dos puntas. Pero en esas el *dottor* Nickerson había llegado para explotar un terreno que Franchini ya había reclamado como propio. ¿Y entonces qué? ¿Qué había pasado?

Se levantó y fue hacia la ventana a contemplar la puerta recién abierta de la iglesia de San Lorenzo, al fondo del *campo* que había al otro lado del canal. Habían reanudado las excavaciones arqueológicas de un día para otro: un día la puerta de la iglesia estaba tan cerrada como durante las décadas previas y al otro de pronto estaba abierta. Miró a la gente entrar y salir de la iglesia, algunos con monos blancos y cascos amarillos, otros con traje y corbata.

Volvió al escritorio reflexionando sobre el fallecido. Con Franchini tirado en el suelo, inconsciente o muerto, el asesino pudo haber accedido a los libros sin ningún impedimento; sin embargo, y por mucho que su antigüedad saltase a la vista hasta para el menos entrenado, no los había tocado. El asesino únicamente se había detenido para quitarse un zapato.

¿Cómo se deshacía uno de un zapato? ¿O era lo suficientemente tonto como para conservarlo? ¿Lo habría tirado a la basura o al agua?

Marcó el número de Bocchese. El técnico respondió después de dejarlo sonar ocho tonos.

—¿Qué quieres ahora, Guido?

—La sangre que había en el suelo, la que pisó el asesino, ¿se puede quitar del zapato?

Se preguntó si alguna vez alguien llamaba a Bocchese para preguntar cuál era la mejor época para plantar dalias o si creía que la Juve iba a ganar la liga.

Tardó casi un minuto en emitir la respuesta.

—En el fregadero de la cocina había restos de sangre de Franchini —dijo el técnico.

—¿Y huellas dactilares?

—Ya te lo habría dicho, ¿no te parece, Guido?

—Sí, por supuesto. Lo siento. ¿Pudo deshacerse de la sangre?

—No. Pudo limpiarla, pero no eliminarla. La suela es de rejilla: lo peor que puede llevar un asesino. Si ve la televisión —añadió un momento después—, sabrá que es así e intentará deshacerse de las botas.

—Gracias por toda tu ayuda —dijo Brunetti.

Bocchese hizo un ruido.

—Si no me dejas, no puedo seguir con los libros, Guido —dijo, pero se echó a reír y colgó.

Brunetti se dio cuenta de que aquella conversación y aquellos pensamientos no eran adecuados para un buen día de primavera, así que llamó a casa y le preguntó a Paola si quería quedar con él en el Zattere para ir de paseo y comer al aire libre, en la *riva*.

—¿Y los niños? —preguntó ella en esa voz maternal pro forma que él tan bien conocía.

—Deja una nota y la comida hecha, y quedamos en Nico para tomar algo. Después podemos ir andando hasta el final y comer alguna cosa.

—Me parece una idea maravillosa —dijo ella—. Aunque te vas a perder unas *capesante* al *cognac*.

Un hombre menos experto en cuestiones de vida matrimonial hubiese dicho que podían pedir lo mismo en el restaurante, pero un comentario así solamente hubiese llevado a problemas.

—Vaya, siento perdérmelos.

—Puedo cocinar la mitad para los críos y el resto para cenar tú y yo.

—Si nos ponemos hasta arriba de *moecche*, esta noche no tendremos mucha hambre —sugirió Brunetti, ansioso por probar los primeros cangrejos de cáscara blanda de la temporada.

—¿Tú? —preguntó ella con su adiestrada voz de falsa inocencia—. ¿Hasta arriba, tú?

—Muy graciosa —dijo, y antes de colgar añadió que salía de la oficina inmediatamente.

Gracias a que se abstuvo de mencionar sus especulaciones sobre los hombres que se habían conocido en la biblioteca Merula, la comida fue muy agradable, y acordaron que en verano irían a la costa, aunque no especificaron cuál. Volvieron juntos a pie hasta el *imbarcadero* de la Accademia, donde tomaron barcos diferentes en direcciones opuestas. Brunetti fue consciente de lo poco que le gustaba y lo mucho que siempre le había disgustado ver a Paola alejarse de él. Aunque se reñía a sí mismo por un comportamiento tan poco varonil, no podía superar el miedo continuo a que, incluso en aquella ciudad tan tranquila, Paola fuese a estar en peligro el mismo instante en que desapareciese de su vista. Se le pasaba con la misma rapidez que le venía, pero el impulso jamás llegaba a desaparecer y nunca sería capaz de confesárselo a ella.

Después de comer se habían entretenido charlando y tomando café, así que llegó a la oficina después de las cuatro. Al entrar vio que alguien había dejado una carpeta de plástico azul sobre la mesa. En el interior, como ya sabía después de años de trabajar con Bocchese, había una copia de su informe, que había dejado sin explicación alguna. Constaba de dos listas: la primera contenía todos los libros que había examinado, seguidos de los nombres de aquellos cuyas huellas se habían hallado en las cubiertas.

Las de Franchini aparecían en todas y las de Sartor en todos los que habían salido de la Merula. Las de la *dottoressa* Fabbiani aparecían en tres de ellos.

Puede que no fuese suficiente para convencer a un juez, pero sí para que Brunetti volviese a su mesa y recuperase el diagrama. Repasó los círculos que rodeaban las palabras «Franchini» y «Sartor». Le parecía convincente. Marcó el número de Griffoni y le pidió que subiera a su despacho. Quería ver si a ella también le convencía.

22

Así era.

—El caballo de Troya —dijo Griffoni, y sonrió—. Está dentro y confían en él. Por Dios, su trabajo es hacer que los libros estén a salvo, ¿quién va a sospechar si le ven salir de la sala con un libro? ¿Quién va a registrarle la bolsa cuando se marcha a casa por la noche?

—¿Y Franchini? —preguntó Brunetti.

Ella se quedó en silencio durante tanto tiempo que pensó que no tenía nada que añadir, cuando de pronto dijo:

—Con él no podemos hablar, pero podemos ir a ver a Sartor.

—¿Ahora?

—No es demasiado tarde para ir a charlar con él.

Brunetti pensó que era mejor llamar para comprobar si el vigilante estaba en la biblioteca. Cuando le dijeron que la esposa de Sartor había llamado dos días antes diciendo que estaba muy enfermo y que no volvería a trabajar hasta que se encontrase mejor, se alegró de haberlo hecho.

Para que no se extrañase por su interés por Sartor, Brunetti le dijo a la persona con la que hablaba —pensando que debía de ser el joven que estaba en el mostrador principal— que querían preguntarle a Piero si recordaba alguna otra conversación con Nickerson; lo hizo con cuidado de usar el nombre en lugar del apellido y de expresarse con mucha familiaridad. Finalmente añadió que podía esperar hasta la semana siguiente.

Cuando el joven le preguntó si había habido algún avance o si creían que había alguna esperanza de recuperar los libros, Brunetti se esforzó por parecer triste y dijo que no lo creía muy probable. Si por algún motivo el chico hablaba con Sartor, era mejor que le dijera que la policía no era muy optimista en lo referente a encontrar los libros.

Después de colgar explicó a Griffoni la mitad que se había perdido de la conversación, pero ella ya se la imaginaba.

—Su mujer les llamó el día después de que tú hablases con él —dijo con absoluta objetividad—. El día siguiente a la muerte de Franchini.

Brunetti llamó a la *signorina* Elettra y le preguntó si tenían la dirección de Sartor. Un momento después, le informó de que el vigilante vivía dos *calli* por detrás de la Accademia, le dio el *numero civico* y le explicó dónde girar a la izquierda y dónde a la derecha.

Calle Larga Nani. No pasaba por ahí desde hacía años, puede que décadas. Se acordaba de que en la esquina había un estanco, pero, aparte de eso, el lugar no le traía ningún otro recuerdo. Cogieron el número 2, desembarcaron en la Accademia y encontraron la casa sin ninguna dificultad: cuatro puertas más allá del *tabaccaio*, que aún seguía allí.

Antes de llamar al timbre, Brunetti miró a Griffoni; se preguntaba si era conveniente planear una estrategia para interrogar a Sartor.

—Lo hacemos y ya está —dijo ella.

El comisario se dio cuenta de que tenía razón: no había manera de preparar algo así. Llamó al timbre.

Pasaron unos minutos y nadie acudió a abrir. Volvió a llamar y pensó por qué no se le había ocurrido solicitar una orden judicial para buscar más libros. Lo cierto es que se temía que la causa era que se negaba a dejar de creer en la gente que leía libros.

Se abrió la puerta y salió una mujer que debía de tener unos cincuenta años: alta, demasiado delgada, ojerosa, confundida por ver a alguien en la puerta de su casa.

—¿Es usted el médico? —preguntó mirando fijamente a Brunetti y luego a Griffoni—. Primero dice que no puede venir y ahora vienen dos.

Estaba desconcertada, pero no enfadada. Las sombras que tenía debajo de los ojos hablaban de preocupación y de falta de sueño, igual que la manera en que los miró a ambos como si así esperase obligarlos a decir algo.

—Hemos venido a ver al *signor* Sartor —dijo Brunetti.

—Entonces es el médico, ¿no? —preguntó con exasperación.

—No, no soy médico.

Cuando le pareció que lo había comprendido, siguió hablando:

—Siento que esté enfermo, ¿qué le pasa?

Ella meneó la cabeza y se mostró aún más angustiada y confundida.

—No lo sé. Hace dos días volvió a casa por la noche y dijo que se encontraba mal. Y desde entonces no ha dicho mucho más.

—¿Dónde está?

—En la cama.

Como si creyese que ellos podían ayudarla, añadió:

—El Ospedale me dijo que llamase a Sanitrans para llevarlo hasta allí, pero les he dicho que no podemos pagarlo; y de todos modos él no quiere ir. Eso ha sido... —miró su reloj— hace dos horas. He tenido que salir para hacer la llamada porque no encuentro el *telefonino* de Piero y en casa ya no tenemos fijo. Pensaba que habían cambiado de idea y que por fin habían enviado a alguien.

Sonrió muy brevemente, pero más que una sonrisa pareció una mueca.

—De verdad que se niega a ir.

—Si quiere que lo intentemos nosotros, *signora* —dijo Griffoni con voz suave—, podemos llamar a la Guardia Medica.

En el otro extremo de la calle apareció una pareja joven.

—Entren, por favor —dijo la señora.

Cogió a Griffoni por el hombro y prácticamente la arrastró al interior. Brunetti las siguió y la mujer cerró y apoyó la espalda en la puerta con cara de alivio.

Brunetti se sorprendió al ver que no estaban en un pasillo, sino en lo que debía de ser el salón del apartamento. Este se encontraba en la planta baja y a ambos lados de la puerta había ventanas que daban directamente a la calle, aunque estaban protegidas por gruesas cortinas. Por la pequeña abertura por donde entraba la poca luz que había se veían los barrotes. Del centro del techo colgaba una lámpara que hacía lo posible por iluminar la sala, y una enorme televisión de las antiguas con una antena que parecía un par de orejas de conejo miraba fijamente el raquítico sofá verde. No había nada más: ni sillas ni cuadros en la pared ni alfombras. Nada. Era como si una plaga de langostas humanas hubiese pasado por allí y hubiese menospreciado el televisor y el sofá; como si hubiese decidido dejar que aquella bombilla solitaria intentase inútilmente desalojar la penumbra. El suelo de azulejos brillaba con la humedad como pretendiendo mostrar una resistencia eterna a la luz del sol, al calor, a la llegada de la primavera.

La mujer se quedó con un brazo cruzado sobre el pecho y la mano en el hombro, los labios apretados, sin saber aún quiénes eran ni qué hacían allí. Parpadeó varias veces con el propósito de verlos con mayor claridad. Dio un paso hacia un lado y se apoyó en el respaldo del sofá.

—*Signora* —dijo Griffoni—, ¿ha comido algo hoy?

La mujer movió la cabeza para mirarla.

—¿Perdón?

—Que si ha comido algo.

—No, no; claro que no: estoy demasiado ocupada —dijo agitando las manos.

—¿Le importaría darme un vaso de agua? —preguntó Griffoni.

La petición reavivó la obligación social que requería que los vecinos no se enterasen de lo que estaba ocurriendo.

—Sí, sí —dijo—. Venga conmigo: puedo ofrecerle un café. Aún nos queda un poco.

Se apartó del sofá, y ahora que Brunetti y Griffoni se habían acostumbrado a la penumbra, vieron a mano izquierda una puerta con una cortina. La mujer se quedó mirándola mientras Griffoni la seguía un paso por detrás. Estiró el brazo para abrir la cortina al tiempo que miraba a Brunetti y señalaba la puerta que había junto al sofá.

—Mi marido está ahí dentro. A lo mejor él... —empezó a decir, pero dejó la frase a medias como si no fuese capaz de pensar en lo que podía hacer o decir su marido.

Brunetti esperó hasta que oyó el agua correr y el tintineo de metal contra metal. Ya había visto esa expresión de agostada desolación en la cara de las víctimas de crímenes o de personas que habían sufrido un accidente. Había que darles agua con azúcar; si era posible, también algo de comer. Había que mantenerlos abrigados. No fue hasta ese momento que se dio cuenta del frío que hacía allí dentro, y de la humedad que conspiraba para empeorar la sensación.

Se acercó a la puerta y la abrió sin molestarse en llamar. El olor le llegó como una bofetada: el hedor fétido y húmedo de la jaula de un animal o el hogar de una persona mayor a quien ya no le interesa la vida y ha dejado de lavarse y comer con regularidad. El hecho de que en la habitación hiciese calor lo empeoraba. Buscó la fuente de calor y vio una estufa eléctrica en una esquina: cinco barras que relucían desafiando al frío. La luz se filtraba a través de una única ventana con cortinas; iluminaba poco pero al menos daba forma a los escasos objetos que había en la habitación: una cama de matrimonio y una mesita con un vaso vacío. Las langostas también habían arrasado aquella estancia, aunque sin prestar atención al hombre que yacía de espaldas sobre la cama, con los ojos cerrados. Una sábana mugrienta estaba doblada por encima de la manta de color azul oscuro.

Sartor tenía el rostro cubierto de una áspera barba, y la luz de la ventana hacía que sus mejillas pareciesen más oscuras y huecas. La camiseta dejaba al descubierto un cuello peludo y se le oía respirar.

El cuarto era tan pequeño que a Brunetti le bastaron dos pasos para llegar junto a la cama. Había una silla, así que se sentó. Descansando sobre el vello que Sartor tenía en el cuello, Brunetti vio un pequeño cuerno de coral colgando de una cadenita de plata: muchos hombres lo llevaban —aunque era una costumbre más bien sureña— como talismán para ahuyentar la mala suerte y atraer la buena fortuna.

Había dejado la puerta abierta automáticamente, en respuesta al mal olor, pero decidió dejarla así: el frío era mejor que aquello. Oyó un tintineo que podía ser de una copa o, mejor, de un plato. Cuando volvió a mirar a Sartor se dio cuenta de que se le había acelerado la respiración. De pronto se acercaron unos pasos y el comisario se puso en pie, pues no quería permitir que ninguna de las mujeres entrase en la habitación.

Al ver que el ruido pasaba de largo por la calle y se alejaba de la casa, Brunetti pensó en la extraña sensación que debía de causar vivir en un lugar en el que no se podía saber si otras personas estaban dentro de la casa o en la calle.

Volvió a sentarse y procuró hablar con tono normal.

—*Signor* Sartor, soy Brunetti. Nos conocimos en la biblioteca.

Sartor abrió los ojos y lo miró; era obvio que lo reconocía. Dijo que sí con la cabeza.

—Sí, le recuerdo.

—He venido por los libros.

Sartor se limitó a asentir. Cambiando de tema, Brunetti dijo:

—Lleva en la cama dos días, ¿verdad?

—No lo sé.

—¿Está enfermo?

—No —respondió él—. La verdad es que no.

—Entonces, ¿por qué motivo está en cama? —quiso saber Brunetti, como si esa fuera una pregunta normal y corriente.

—No puedo estar en ninguna otra parte.

—Podría ir a trabajar. O a dar un paseo. Podría ir a un bar y tomarse un café.

Sartor negó con la cabeza, sobre la almohada.

—No. Eso ya se ha acabado.

—¿El qué? —preguntó Brunetti.

—Mi vida.

Brunetti no ocultó su sorpresa.

—Pero... está hablando conmigo y su esposa está en la cocina, así que la vida no se ha acabado.

—Que sí —dijo con insistencia infantil.

—¿Por qué dice eso?

Sartor cerró los ojos un momento y los volvió a abrir para mirar a Brunetti.

—Porque me van a echar del trabajo.

—¿Y por qué? —preguntó Brunetti inocentemente.

Sartor lo miró fijamente y después cerró los ojos. Brunetti se quedó esperando. Después de más de un minuto, Sartor lo miró de nuevo.

—He robado libros.

—¿De la biblioteca?

Sartor asintió.

—¿Por qué lo hizo?

—Para pagarle.

—¿A quién? —dijo Brunetti esforzándose por fingir confusión.

—A Tertuliano. Franchini.

—¿Pagarle el qué? ¿Por qué motivo? —preguntó el comisario.

Pensó que solo había una razón para que un jugador tuviese que pagar dinero a otra persona.

—Me dio dinero. Me lo prestó.

—No le sigo: ¿por qué le prestó dinero?

—Para pagar otras deudas —dijo Sartor.

El recuerdo de las deudas le hizo cerrar los ojos y apretar la mandíbula.

—¿Qué pasó? —preguntó Brunetti.

—Necesitaba dinero, fue hace dos años. Así que fui a que me lo prestaran.

—Pero no acudió al banco.

Sartor mostró lo ridículo de la idea con un resoplido.

—No, fui a un tipo de la ciudad.

—Entiendo —dijo Brunetti.

En Venecia había más que un puñado de usureros. Pon tu casa como garantía y te damos lo que quieras. ¿El oro de tu madre? ¿El seguro de vida de tu padre? ¿Los muebles? Todo son facilidades. Firma aquí y te daremos el dinero que necesites. A cambio de tan solo el diez por ciento de interés. Cada mes. Todo lo que hacían era pura indecencia, pero no se podía hacer nada para impedírselo.

—¿Cuándo empezó este asunto?

—Se lo he dicho: hace dos años. Durante un año nos las arreglamos para pagar los intereses, pero al final era demasiado.

Sartor apretó uno de los puños debajo de la sábana y la manta se arrugó.

—Cuando me dijo que quería que le devolviese el dinero, le dije que no podíamos pagar.

Sacó la mano para tocar el cuerno de coral un instante y después la volvió a meter bajo la ropa de cama.

—Vino a casa con un amigo y habló con mi mujer.

Dejó que Brunetti imaginara por sí mismo el desarrollo de la conversación.

—¿Así que le pidió a Franchini que se lo prestara?

La pregunta impactó a Sartor.

—No, claro que no. Era uno de nuestros lectores.

A Brunetti le sorprendió tanto la respuesta como la vehemencia con la que había contestado Sartor.

El ritmo de las conversaciones como aquella cambiaba constantemente y Brunetti lo sabía: ahora debía proseguir con mayor suavidad.

—Entiendo —dijo—. Entonces, ¿cómo ocurrió?

Observó cómo Sartor intentaba formular una respuesta; vio cómo metía los labios hacia dentro, como si cerrando la boca de aquel modo pudiese permanecer más tiempo en silencio, quizá hasta que Brunetti se olvidara de la pregunta.

Pero este permaneció a la espera. Imaginó que era una planta, o un lilo, y que había hundido las raíces en la silla. Si se quedaba allí sentado el tiempo suficiente se convertiría en una parte más de ella, del cuarto, de la vida de Sartor: el hombre no podría deshacerse jamás de la imagen de Brunetti, que habría echado raíces en su vida.

—Un día —dijo Sartor finalmente—, cuando se iba de la biblioteca, porque siempre nos decíamos algo cuando entraba y cuando se iba, me comentó que le parecía que tenía cara de preocupado y que si podía hacer algo por mí.

—¿Usted sabía que había sido cura?

—Sí.

—¿Y?

—Y fuimos a tomar café y le conté (porque, como dice usted, él había sido cura) que estaba preocupado por cuestiones de dinero.

Brunetti no vio la conexión, pues pensaba que los curas estaban para otros menesteres, pero no dijo nada.

—Se ofreció a prestármelo. Le dije que no se lo podía aceptar, así que me propuso que si quería podíamos hacerlo oficialmente.

—¿Oficialmente?

—Firmando un papel.

Sacó la mano de debajo de la manta para hacer en el aire el gesto de firmar.

—Entonces le quería cobrar intereses.

—No —dijo Sartor, que parecía casi ofendido—. Era solo para decir que me había prestado el dinero.

—¿Cuánto era?

Observó a Sartor prepararse para la mentira.

—Mil euros.

Brunetti asintió como si le creyera.

Se hizo una larga pausa, como si Sartor, por el mero hecho de desearlo, pudiera hacer que todo eso terminase. El comisario estaba perdiendo la paciencia con las mentiras y las dilaciones, de modo que decidió acelerar el curso de los acontecimientos.

—Y entonces, ¿qué pasó?

La mirada que le lanzó Sartor le hizo pensar que quizá había insistido demasiado o lo había insultado. Sartor volvió la cabeza y se quedó mirando la pared. Brunetti esperó.

—Después de unos meses, Franchini me dijo que necesitaba que le devolviese el dinero —masculló con la vista fija en la pared—. Pero yo no lo tenía, así que cuando se lo dije él contestó que, en lugar de darle el dinero, podía ayudarle.

—¿Haciendo qué?

Sartor se giró hacia él bruscamente y le lanzó una mirada intensa.

—Dándole libros, obviamente —repuso con voz tensa.

Brunetti se dio cuenta de que a Sartor se le había agotado o bien la paciencia o bien la inventiva.

—¿Le decía qué libros quería? —preguntó Brunetti.

—Sí. Los buscaba en el catálogo y me decía los títulos.

—Y usted se los daba —dijo Brunetti, consciente del verbo que había utilizado y de que implicaba que Sartor tenía autoridad sobre los libros para darlos a quien quisiera.

—No tenía elección —dijo Sartor con indignación.

—¿Y Nickerson? —preguntó Brunetti con la esperanza de sorprenderlo.

La respuesta de Sartor fue inmediata y la emitió con evidente tensión en la voz.

—Nickerson ¿qué?

—¿Conocía a Franchini?

Sartor lo miró rápidamente, incapaz de ocultar la sorpresa, y Brunetti pensó si no habría hecho la pregunta incorrecta o si la había hecho demasiado pronto. La mirada de Sartor se hizo más intensa y perspicaz, pero entonces cerró los ojos y permaneció en silencio tanto tiempo que Brunetti temía haber llegado al punto que siempre sabía que estaba por llegar: el instante en que Sartor se negase a decir nada más. Esperó y dejó claro que se había retirado de la conversación, pero el hombre siguió inmóvil, con los ojos cerrados. Desde la otra habitación le llegó un ruido y cruzó los dedos por que las mujeres no eligieran aquel momento para volver al salón.

Sartor abrió los ojos. De pronto parecía diferente, más alerta; incluso la barba, que antes se veía descuidada y revuelta, ahora parecía el resultado de un ejercicio de negligencia estudiada.

—Sí —dijo al final en respuesta a la pregunta de Brunetti—. Franchini era un tipo listo.

Brunetti quiso decir que no tanto como él creía, pero se abstuvo.

—¿A qué se refiere?

—Me dijo que lo había reconocido, a Nickerson. De antes —empezó a decir Sartor. Siguió hablando poco a poco, calibrando cada palabra una a una, como si eso fuese necesario para ser totalmente claro—. No me dijo de dónde. Ni cuándo. Solo que lo conocía.

—¿Trabajaban juntos?

Sartor tardó tanto en responder que Brunetti volvió a pensar que había decidido dejar de hablar, pero finalmente continuó.

—Sí.

—Y usted ayudaba.

—Solo un poco. Franchini me dijo que dejara a Nickerson tranquilo.

—¿Se refiere a la salida?

Sartor agachó la cabeza en señal de vergüenza.

—Sí —musitó como si prefiriese que ni siquiera Brunetti oyese su confesión—. ¿Qué podía hacer, si no? —dijo pidiendo clemencia con la mirada.

Al ver que Brunetti no contestaba, añadió:

—Simplemente no le registraba el maletín.

Sartor movió la mano izquierda hacia un lado de la cama, agarró el borde de la sábana y empezó a enrollarlo entre el pulgar y el índice, hasta que formó un fino cilindro. Atrás y adelante, atrás y adelante, como el que acaricia a un gato.

—¿Qué más pasó? —preguntó Brunetti con la esperanza de que esta fuese la pregunta que Sartor quería oír.

—Nickerson quería el Doppelmayr.

—¿El qué? —preguntó Brunetti a pesar de que conocía el libro de mapas.

—Es un atlas del cielo —dijo Sartor con la condescendencia de los expertos—. Hay uno en la biblioteca y Nickerson dijo que lo quería.

—¿Por qué ese en concreto?

—Era para un cliente. Eso me dijo Franchini.

—¿Qué pasó?

—Franchini era un hombre muy cauto y dijo que era demasiado importante para llevárselo. Y demasiado grande. Le dijo a Nickerson que no quería saber nada de aquel asunto y que le daba igual lo que opinase o le ofreciese.

Brunetti intentó borrar todo rastro de expresión de su rostro.

—¿Qué pasó?

El comisario miró a Sartor mientras este buscaba la manera de contestar.

—El día anterior a que Nickerson se marchara, Franchini me dijo que al día siguiente tenía que ir a la sala de lectura y decir que debía llevarme al mostrador de préstamos uno de los libros que él estaba usando, porque había que enviarlo a otra biblioteca. Me dijo que eso lo asustaría y se marcharía. Y así fue.

—¿Por qué le dijo que hiciera eso?

—Franchini dijo que habían discutido sobre el Doppelmayr; y también por dinero. —Sartor vio pura curiosidad en el rostro del comisario, así que añadió—: Me dijo, o sea, Franchini, que quería deshacerse de él porque le tenía miedo.

Ah, ahí estaba por fin, pensó Brunetti: el dato que tenía que creerse. No le cabía duda de que la causa de la muerte de Franchini era una discusión por cuestiones de dinero, pero quizá no una pelea entre Nickerson y él.

Brunetti llevaba mucho tiempo convencido de que una de las desventajas de la estupidez era su incapacidad de comprender lo que era la inteligencia. Por mucho que la gente estúpida conociese la palabra «inteligencia» y se diese cuenta de que otras personas entendían las cosas con mayor rapidez, su propio intelecto monocromático les impedía llegar a entender la diferencia. Por lo tanto, Sartor era incapaz de ver lo transparente que era su historia, y Brunetti no supo si azotarle o sentir lástima por él.

El sonido de unos pasos lo distrajo de la necesidad de elegir entre uno y otro acto; esa vez no venían de la calle, sino de la habitación contigua.

—*Commissario* —oyó llamar a Griffoni.

Brunetti se puso en pie y se acercó a la puerta. Claudia estaba en mitad del salón y la esposa de Sartor en la entrada que daba a la cocina.

—La *signora* y yo hemos estado hablando —dijo Claudia, y se volvió hacia ella para sonreír.

La voz tan suave con la que hablaba su compañera le hizo temerse lo peor, así que Brunetti cerró la puerta del cuarto y se acercó a ella.

—Hemos estado hablando —dijo Griffoni— sobre lo difícil que es llegar a fin de mes con un único sueldo.

En un segundo plano, la mujer asintió para mostrar que estaba de acuerdo con esa verdad: una de aquellas que solamente las mujeres parecían comprender. Tenía aspecto de estar más tranquila; era posible que Claudia hubiese conseguido darle azúcar, puede que incluso algo de comer.

Griffoni se volvió hacia ella.

—¿Verdad que sí, Gina?

—Sí. Y con la crisis, los sueldos no suben, pero los precios de todo lo demás sí.

Parecía una mujer mucho más compuesta que la señora que, hecha trizas, los había arrastrado al interior del apartamento.

—Por eso debemos ir con cuidado —dijo Claudia con mucho énfasis—. No hay que malgastar nada; debemos pasar con lo que tenemos.

Se volvió hacia Brunetti y habló con una falsedad chirriante que la otra mujer no detectó.

—La *signora* me ha contado que su marido teme perder el empleo.

Una nube negra cruzó el rostro de la mujer y sus manos se buscaron la una a la otra en señal de consuelo mutuo.

Brunetti se preguntaba si Claudia necesitaba también un poco de azúcar, pero el tono de voz lo avisaba de que aquella pantomima tenía una razón de ser. Entonces, como si se acabase de acordar de algo, Griffoni se dirigió una vez más a la mujer.

—Por eso ha hecho tan bien en no dejar que su marido tirase las botas.

La señora sonrió, orgullosa de su sentido común de ama de casa.

—Aún durarán unos años más —dijo—. Le costaron ciento cuarenta y tres euros hace cuatro años. —Hizo una breve pausa—. No nos podríamos permitir otro par, ahora no. La cosa está fatal.

—Hay que ir con mucho cuidado, *signora* —dijo Brunetti con una sonrisa de aprobación y pensando al mismo tiempo que haberlo hecho iba a ser su destrucción. Siguió hablando con la voz atrapada entre dos emociones distintas—. *Signora*, ¿le importaría darme un vaso de agua a mí también?

—Oh, deje que le haga un café, *dottore* —contestó, y dio media vuelta para ir a la cocina.

Mientras la seguía, se volvió hacia Griffoni y le dijo:

—Llama y diles que necesitamos una orden para registrar esta casa y buscar las botas.

En lugar de la docilidad a la que lo tenía acostumbrado, Griffoni dijo:

—Ya he sido Judas una vez; no quiero repetirlo.

Brunetti sacó el teléfono, marcó el número de la *questura* y pidió la orden judicial. Y después fue a la cocina de la *signora* Sartor a aceptar su hospitalidad.